Gisèle Pineau

Cent vies et des poussières

Mercure de France

L'auteur a bénéficié, pour la rédaction de cet ouvrage,
du soutien du Centre national du livre.

Guadeloupéenne née à Paris en 1956, Gisèle Pineau passe son enfance dans la région parisienne. Adolescente, elle découvre la Martinique, puis la Guadeloupe, où ses parents s'installent définitivement. De retour à Paris en 1974, elle entame des études de lettres qu'elle doit abandonner. Elle obtient un diplôme d'infirmière en psychiatrie et exerce, aujourd'hui encore, ce métier.

Gisèle Pineau est l'auteur de nombreux romans comme *La Grande Drive des esprits* (Grand Prix des lectrices de *Elle* en 1994), *L'espérance-macadam* (prix RFO en 1996), *Chair Piment* (prix des Hémisphères Chantal Lapicque en 2002) et *Morne Câpresse.*

Elle écrit également pour la jeunesse.

You may write me down in history
With your bitter, twisted lies
You may trod me in the very dirt
But still, like dust, I'll rise…

MAYA ANGELOU
Still I rise

[illegible] était dans le [illegible]
[illegible]
grands sommeils. [illegible]
entendu, après la naissance de Judith et aussi
celle de Dilly avec sa nuée de poupées chat-
[illegible], elle avait déjà [illegible]
[illegible]

Je t'ai [illegible] maintenant pour [illegible]
[illegible] ma joie [illegible] C'est [illegible]
[illegible] n'ai [illegible] pas [illegible]
[illegible] donner [illegible] Que Dieu
[illegible] j'ai même
pas [illegible] pas. Il
[illegible]
[illegible]
[illegible]
[illegible]
[illegible]
[illegible]
[illegible]
[illegible]
[illegible]

I

Ce n'était pas la première fois que Gina se trouvait empêtrée dans ce flot de promesses et grands serments. Du déjà-vécu. Du déjà-dit et entendu. Après la naissance de Judith et aussi celle de Billy, avec sa mine de poupée charmeuse, elle avait déjà juré qu'elle arrêtait de faire des enfants.

« Te fâche pas avec ta manman pour ça. Gâche pas ma joie, Ti-Sha... C'est fini, ma fille, je te jure, tu n'auras pas d'autres frères et sœurs. Billy est vraiment mon dernier bébé. Que Dieu me punisse si je mens ! Et d'ailleurs, j'ai même pas fait exprès cette fois... M'en veux pas, Ti-Sha. On va pas régler ça sur mon lit d'hôpital, hein ?... Embrasse ta manman, Ti-Sha. Allez ! Donne-moi un bisou, s'il te plaît... Faut jamais blâmer une contrariété, comme dit si bien Grand-mère Izora. C'est la volonté de Dieu si Billy est parmi nous aujourd'hui. Oh ! Tu vois, y a pas plus joli garçon ! Ressemble tellement à Tonton Max, pas vrai... Je suis confiante, je te dis. Celui-là nous apportera rien de mauvais... »

Et sur ces mots qui ne l'engageaient aucunement, le regard implorant, Gina Bovoir avait tiré sa fille par le bras, la contraignant, la forçant à se pencher pour lui extorquer un baiser. Et après avoir embrassé sa maman, Sharon avait dû tendre son visage anguleux et renfrogné vers le nouveau-né qui grignait d'une douleur muette ramenée de ses limbes. À contrecœur, elle avait inspiré sa répugnante odeur d'entrailles, de lait et d'eau de Cologne bas de gamme.

Et tandis que Sharon sentait les ongles de sa mère s'enfoncer dans la chair de son bras, elle rêvait de la voir morte. Oui, elle aurait voulu que Gina soit morte. Qu'elle repose sur son lit de mort pour cesser enfin de faire des enfants.

Ils étaient déjà six frères et sœurs. Avec Billy, le nouveau venu, ils se retrouvaient à sept. Quatre filles et trois garçons.

Mais sa maman était vivante et la situation bien réelle et quasi obscène dans cette chambre de la maternité. Allongée sur le lit, replète comme une vieille odalisque, Gina exultait. On l'aurait dite saoule, la figure bouffie par les longs mois de grossesse, ses larges et lourds seins noirs offerts à la vue de tous, enflés, sillonnés de vergetures, gorgés de lait. Et, dans cet état pitoyablc, cllc souriait benoîtement en admirant son merveilleux poupon. Aux yeux de Sharon, le petit négrillon n'avait rien d'un Messie. Tellement laid qu'on eût dit que les grosses roues d'un camion étaient passées sur son visage à plusieurs reprises. Nez écrasé, yeux boursouflés, lèvres violacées, les cheveux collés au crâne par une sorte de bave sirupeuse. Et pour ajouter une dernière touche au tableau, il était né avec une tache dans le dos. Une tache en forme de banjo.

L'année de la naissance de Billy, 2007, Sharon avait dix ans. Elle savait ce que signifiait : passer de vie à trépas. Elle avait déjà vu des morts.

Un an auparavant. Deux femmes mortes en l'espace de trois mois. Une grand-tante et la sœur cadette de sa mère. Elles étaient parties dans l'autre monde. Tantante Chimène en juin, Tatie Vivi en septembre.

À cette époque, Grand-mère Izora n'avait pas encore attrapé sa congestion cérébrale. Elle gouvernait toujours sa vie. Revêtue de la même robe noire en taffetas moiré pour les obsèques des deux, coiffée d'un chapeau de mousquetaire à plumes et chaussée de ses escarpins burlesques et informes datant des années 1950, la vieille femme ressemblait à ce vampire gothique que Sharon avait vu dans un film d'horreur coréen. Réunis par deux fois dans le même salon rococo des pompes funèbres *Marant et Fils Associés*, les parents et amis se pressaient pour dire adieu à la défunte. C'était l'usage. S'avancer, soit se pencher et, bouche close, baiser le front de la personne morte, soit s'immobiliser près du cercueil et, dans un soupir, faire un ample signe de croix en considérant intensément le corps, manière de vérifier qu'il n'était plus traversé par le moindre souffle.

En septembre 2006, quand la vieille femme poussait les enfants de Gina devant la grande boîte, elle n'avait pas manqué de marmonner qu'elle aurait dû se trouver à la place de celle-là que le Seigneur venait de prendre à la va-vite, sans envoyer le moindre signe avant-coureur, sans verdict médical ni songe prémonitoire. À soixante-dix-neuf ans, le grand rêve d'Izora était de mourir du jour au lendemain, pas même le temps de se rendre compte qu'elle passait de vie à trépas. Ce qu'elle redoutait le plus était de s'attarder en chemin aux derniers instants de son existence, piétiner devant la mort et se languir en l'espérant. Oui, Grand-mère demandait chaque jour au Bon Dieu de la préserver, car elle craignait aussi de retomber en enfance, comme certaines de sa connaissance qu'elle avait fréquentées dans les temps anciens. Des négresses bien en chair et à belles langues qui avaient perdu l'esprit et s'étaient ratatinées au fur et à mesure. Et qui, clouées au lit, occupaient leurs jours restants à lisser le drap du plat de la main tout en ressassant des souvenirs sans queue ni tête, à voir et revoir leur vie comme un péplum aux couleurs délavées, à pisser dans des couches-culottes. Pourtant, c'est bien ce qui lui arriva l'année suivante, quelques jours après l'arrestation de Steeve, l'aîné de ses petits-enfants.

Au mitan des souvenirs de Sharon, les deux cercueils étaient identiques, sortis de la même fabrique : pin blanc décoré de rosaces grossièrement sculptées, teinté façon acajou et vernis au pistolet.

Le lendemain de la mort de Tantante Chimène, Izora avait expliqué : pour ce dernier voyage, on n'a besoin d'aucune sorte de papier, ni carte de séjour, ni passeport et on ne s'embarrasse plus de bagage comme les Pharaons, nos ancêtres. De son vivant, on a beau amasser des fortunes de Monopoly, bijoux et magots, titres de propriété, actes notariés, on part tous sans un sou, seul, chacun enfermé dans sa boîte. Grand-mère avait aussi précisé que cette boîte-là n'était pas une boîte de conserve en fer-blanc qui gardait la chair intacte des années durant, comme les saucisses et les morceaux de porc cuisinés du cassoulet *Bonport.* Non, tandis que l'esprit s'envole au ciel, le corps — mangé par les vers jour après jour — finit inexorablement par pourrir et tomber en poussière. « Tu comprends ce que je dis, Sharon ! On revient tous à l'état de poussière. Tous, oui, gloire à Dieu ! Nous tous, les êtres humains... »

Âgée de soixante-seize ans, la Tantante Chimène était maquillée pour la première fois de sa vie. La femme semblait rajeunie, sans ride, les joues rondes et rosées comme celles d'une midinette. Sa bouche, que Sharon avait toujours vue chiffonnée, était tendue dans un sourire de félicité figé sur lequel une main experte avait étalé un rouge à lèvres carminé, couleur des fleurs d'hibiscus plantées le long de la clôture de l'école primaire de la Ravine claire. Sharon avait manqué ne pas reconnaître sa Tantante. En effet, de son vivant, Chimène négligeait sa personne. Si elle avait coutume de quémander les baisers des enfants, ceux-ci savaient montrer dans les gestes et paroles leur répugnance à l'approcher. Non, elle n'en prenait pas ombrage et insistait quand même, tandis qu'ils avançaient vers elle, le nez pincé. Pauvre Tantante Chimène, mon Dieu, elle mourut dans d'effroyables souffrances. Trois jours durant à se tordre sur sa couche. Bref, on préférait se souvenir d'elle avant cette partie-là... Du temps où elle quittait encore son lit, la vieille traînait dans des robes crasseuses aux tissus fanés, tachés ou déchirés. À son entour, flottaient toujours des odeurs d'urine fétides et de suées rances. Ses ongles ressemblaient à des ergots noirs. Elle n'arborait guère d'autres coiffures que de méchants choux plus ou moins rassis, piqués à la diable d'épingles à cheveux rouillées. Et, au jour de son enterrement, on découvrait avec surprise une Chimène peignée avec soin, revêtue d'une robe à fleurs en soie d'une tenue impeccable. La mort en avait fait une dame distinguée.

Trois mois plus tard, devant le cercueil de Tatie Vivi, le regard extatique, Izora s'écria : « Même la plus belle des plus belles passe un jour de vie à trépas ! Oui, Seigneur, nous ne sommes rien sur cette terre... Et Viviane n'a guère tardé en route. Elle a bien fait de choisir la mort sans souffrance... »

Saisi par ces propos définitifs, un groupe de femmes baissa d'une mesure ses papotages compassés et puis cessa tout bonnement de causer. Posées là, soudain statiques et silencieuses devant les théâtrales tentures de velours pourpre ornées de fanfreluches parme du salon funéraire, elles ressemblaient à des mannequins de cire dans le décor d'un musée. Puis, l'une d'elles s'ébroua. C'était la meilleure amie de Vivi, sa sœur de cœur, la dénommée Phillys Bordage qui, prise de frissons, se signa précipitamment, gardant la tête courbée un trop long moment, à croire que les mots de Grand-mère lui avaient cassé le cou.

Plus jeunes, Vivi et Phillys avaient suivi la même formation de coiffeuses au lycée professionnel de Bel-Vent. Elles s'étaient perdues de vue quand Phillys était partie tester sa chance en France où elle était demeurée sept longues années avant de se résoudre à rentrer au pays, avec plusieurs crédits revolving au train et dans les jambes, Dany, son fils âgé de quatre ans. Au début de l'année 2005, Vivi et Phillys s'étaient retrouvées côte à côte dans le stage de coiffure *Black Hair & Beauty* organisé par la fondation International Black Challenge créée par des hommes d'affaires africains-américains. Basé à Washington, Pointe-à-Pitre et Kingston, IBC se présentait comme un tremplin exclusivement réservé aux descendants, arrière-arrière-petits-fils et petites-filles d'esclaves des Amériques et des Caraïbes, la voie du salut pour ceux qui n'avaient pas eu l'opportunité de prendre un bon départ dans la vie. Bien que Vivi n'ait pas encore eu d'enfant, les deux amies avaient repéré des similitudes dans leurs trajectoires. Vivi était persuadée qu'on vivait plusieurs vies et qu'on rencontrait sur cette terre des gens sans doute déjà croisés dans une autre dimension ou un temps parallèle. Quant à Phillys, elle croyait que Vivi et elle étaient jumelles, partageant une commune destinée, car nées le même jour, le 5 février 1976, à trois heures d'écart. Vingt ans plus tard, diplômées de coiffure, elles pensaient que la chance leur sourirait directo. Las, l'une et l'autre avaient traversé beaucoup de galères...

Arrivées à trente ans, le bilan s'avérait pathétique, tant sur le plan sentimental que professionnel. En France, pour payer trois mois de loyer, Phillys avait fait un mariage blanc avec un Camerounais, ensuite le père de son fils avait tenté de la tuer à trois reprises, et pour finir, elle s'était fait consoler par un proxénète marron qui avait failli l'expédier dans un bordel en Turquie. Depuis son retour en Guadeloupe, Phillys avait eu quelques histoires qui ne l'avaient menée nulle part. De son côté, Viviane n'avait connu que désillusions et chagrins. Son drame était qu'elle tombait éperdument amoureuse au premier regard et parlait mariage au deuxième rendez-vous. Les hommes promettaient de l'épouser, la mettaient dans leur lit, puis ils disparaissaient. Son nouveau copain s'appelait Harry. Harry Barline...

Jusqu'alors, les deux amies avaient travaillé pour des patronnes malhonnêtes qui ne les avaient jamais déclarées. Jober ici et là était leur lot. S'esquinter, sans couverture sociale ni congés payés. Se déprécier en se risquant à shampooiner, tailler et défriser les chevelures épaisses des femmes dans des cuisines étroites et malodorantes, natter les tignasses filasse des touristes sur les plages ou passer des heures à faire des tresses et des tissages à l'en-bas d'un manguier, au fond d'une cour, non loin d'un cochon et dessous un soleil accablant. Et souvent, les clientes étaient des copines qui s'avéraient capricieuses et exigeantes et cherchaient un cancan au moment de sortir l'argent. Elles marchandaient, quémandaient un petit rabais, racontaient qu'elles avaient oublié leur porte-monnaie, que leurs allocations n'étaient pas encore virées, qu'elles paieraient leur dette en fin de mois. Il fallait ensuite leur courir après et parfois se faire injurier et menacer pour le règlement d'un travail dûment réalisé — même s'il s'agissait de travail au noir.

Vivi et Phillys avaient dans l'idée d'ouvrir ensemble un salon de coiffure, au plus tard courant 2007. Elles en avaient déjà choisi le nom : VIP SHOW. V pour Viviane, I pour Isis (la déesse égyptienne de l'amour) et P pour Phillys. Dans le seul but de monter leur entreprise, elles avaient mis des sous de côté pendant des mois.

Elles s'étaient promis de ne plus jamais se séparer. C'était ce beau projet que les deux chérissaient et avaient juré de réaliser. Un rêve brisé net avec le suicide de Tatie Vivi.

Une autre, prénommée Dolly Mercéris, vieille connaissance de Vivi depuis l'école primaire, était inconsolable. Plantée près du cercueil, elle se tenait debout on ne sait par quel miracle tant son corps était secoué de sanglots. Elle portait une robe droite grise, genre sac, duquel sortaient quatre membres grêles, tremblotants, et une tête hirsute, le visage à moitié masqué par de gigantesques lunettes noires. Un bref instant, Sharon lui trouva une ressemblance avec ces personnages sommaires aux gros yeux de mouche que Perle dessinait à quatre ou cinq ans.

« Allez Sharon ! Dis adieu à ta tante ! » souffla Grand-mère Izora en donnant à la fillette une bourrade dans le dos.

Perchée sur ses talons, Dolly chancelait, serrant une pochette de strass sous le bras — peut-être envisageait-elle d'aller passer la soirée dans une discothèque après l'enterrement. Sharon s'approcha du cercueil et, à vue d'œil, estima que les talons de la Miss Mercéris mesuraient quinze centimètres. Il lui faudrait attendre au moins sept ans avant d'en posséder de semblables. Tatie Vivi aimait aussi les talons hauts. Collectionner les souliers était sa passion. Quelquefois, le dimanche, elle avait autorisé Sharon à entrer dans sa chambre, à essayer ses précieux souliers. Il y en avait de toutes les couleurs rangés dans leurs boîtes d'origine, sous le lit, au bas de l'armoire, dans un placard en formica. La plupart étaient en simili cuir *Made in China*, achetés bon marché dans les magasins des Syriens, à Lareine ou à Pointe-à-Pitre. Viviane avait de maigres revenus, mais elle portait les chaussures avec beaucoup d'élégance. On aurait pu croire qu'elle déboursait des mille et cent euros pour les acquérir. Sandales fantaisie à perles, pierres et plumes, escarpins de toutes sortes : bicolores, façon croco, serpent, autruche, et puis sabots cloutés, mules en satin, spartiates, ballerines, nu-pieds... Quand elle trimait une journée dans un salon de coiffure et que la patronne la payait en espèces — ni vu ni connu —, avant même de quitter l'endroit, Vivi savait déjà quel usage elle ferait du cash. Un jour, elle avait confié à Sharon qu'elle pouvait se passer de boire et manger mais pas d'acheter des chaussures, au moins deux fois par mois. Pour elle, chaque paire avait une valeur inestimable et affective. Elle en prenait grand soin, faisait ressemeler sans retard celle qui donnait des signes de lassitude et surveillait de près l'usure des talons. Tous les dimanches, elle époussetait les boîtes et sortait les souliers rien que pour les admirer. Lorsqu'elle avait rendez-vous avec Harry, Tatie Vivi se préparait longuement à l'avance, gaspillait des heures à essayer ses vêtements, ses sacs et surtout ses belles chaussures. Et puis, quand elle était habillée, elle se maquillait. On aurait dit une poupée. Elle faisait tout ça pour séduire Harry qu'elle aimait tant. Harry Barline... Elle aurait été tellement heureuse s'il l'avait demandée en mariage. Et c'était tout ce qu'elle attendait de lui, avait-elle confié à Phillys. Après, elle lui aurait tout passé. Du moment qu'il l'épouse...

Les seules parties du corps de Vivi livrées aux regards étaient sa tête, son cou et ses mains, noyés dans la dentelle blanche synthétique et le satin mauve plissé. Le bas de son corps était recouvert d'un drap de coton, mais on voyait qu'elle était revêtue de sa robe préférée. Rose, avec un col en tissu liberty. Sharon n'avait pas l'impression qu'elle portait quelque chose aux pieds, même pas des pantoufles enfilées pour son dernier voyage. Et sans doute, si de l'autre monde elle observait la scène, Vivi devait pester contre ceux qui avaient habillé sa dépouille mortelle et négligé de la chausser. Elle va bientôt revenir pour une autre vie, se dit Sharon, et, cette fois, Tatie sera riche et aimée d'un fiancé qui voudra bien la marier. Lorsqu'elle était là, le visage de Vivi avait toujours exprimé une sublime mélancolie. Dans son cercueil, elle apparaissait enfin sereine, détachée de tout, libérée des tourments. L'une sur l'autre, ses mains effilées étaient positionnées sur sa poitrine comme pour retenir son cœur de battre ou de s'envoler. Sharon ferma les yeux et posa les lèvres sur le front glacé de Vivi, imaginant un instant que Gina, sa mère, était couchée là, morte.

Bien avant cette tragédie, Sharon avait souvent entendu Gina et Vivi raconter des histoires dont l'héroïne était cette Dolly Mercéris. Quand Vivi n'avait pas de travail, elle descendait dès le matin jusqu'à la Ravine claire. Elle aidait au ménage, au repassage et à la préparation du déjeuner. Souvent, l'après-midi, Vivi s'occupait des cheveux de Gina. Selon les jours, elle faisait un shampooing, un défrisage, un brushing ou une coupe, un curly... Parfois, Vivi s'embarquait pour des heures, testant des coiffures plus sophistiquées sur la tête de son aînée : chignons de mariage à trois étages, agrémentés de choux, bouclettes, fleurs et accroche-cœur, ou bien des tresses africaines qui nécessitaient cinq ou six paquets de mèches synthétiques et transformaient Gina en Cléopâtre, Anacaona ou reine de Saba. Et tandis que les doigts de Vivi s'activaient, elles causaient sans fin.

Tout un mangeant du gâteau, elles se partageaient un Fanta orange qu'elles faisaient durer jusqu'au soir. Les deux pouvaient consacrer une après-midi entière à traiter le dossier Dolly Mercéris. Tantôt à déblatérer et surenchérir, tantôt à chuchoter des histoires colportées, se laissant parfois aller jusqu'à trépigner, emportées par l'ivresse que procurent l'enfilade des mots cruels et la juxtaposition des images sordides. Dolly avait la réputation d'être plus qu'une femme frivole. Selon Gina, c'était une pure débauchée. Témoins des allées et venues des messieurs de toutes nations et qualités chez la créature, ses voisins l'avaient baptisée Mamzelle Coloquinte, pour ne pas l'appeler Miss Putain. On la disait habituée à faire marcher les hommes sur la tête, jusqu'à les ruiner en deux temps trois mouvements, et aussi à voler les maris, à dérouter les bons pères de famille, à déniaiser les puceaux. Tout ça pour de l'argent! On la soupçonnait même d'avoir dépravé un pasteur évangéliste qui se serait damné en dérobant le denier du culte... Et pourquoi donc? Pour faire carreler en marbre de Toscane la salle de bains de son palais planté au mitan du mauvais quartier de la Ravine claire.

La Ravine claire...

Si les gens du bourg de Lareine et des hauts de Thibaut évoquaient la Ravine claire, ils levaient les yeux au ciel en soupirant que la lie de la Guadeloupe était concentrée là, avec toutes les mauvaises herbes de la Création : l'ivraie et l'ortie, la ganja et la marijuana. Non, rien de bon ne germait ni n'émanait jamais du lieu-dit la Ravine claire. Autrefois, l'endroit avait été habité par de vaillants nègres marrons, mais ceux qui leur avaient succédé n'étaient pas de leur lignée. Le Bon Dieu lui-même avait détourné les yeux de cette engeance, disait-on, laissant le Démon et ses alliés corrompre les âmes et souiller les corps à son aise. On racontait que les femmes qui vivaient là n'avaient ni moralité ni sentiments. La plupart toléraient les hommes, décidant de les garder ou non sous leurs toits. Alors, on trouvait des bougres brefs comme l'éclair, d'autres qui tenaient bon pour occuper une place durable dans la case, et une multitude qui allaient et venaient, toujours en coups de vent, parfois violents, tantôt insignifiants.

La Ravine claire pullulait surtout d'enfants. Ils tourneboulaient les rares travailleurs sociaux osant encore s'aventurer dans les ruelles défoncées que la municipalité avait oublié de bitumer et différé d'éclairer. Où que l'on pose le regard, ils étaient là. À plusieurs en dedans chaque case. Du matin au soir, manifestant leur bruyante présence. De tous âges, de toutes couleurs, sangs mêlés. On croisait d'immenses gaillards bâtis mieux que des athlètes olympiques, gâchés avant l'heure, sortis hargneux et la tête à l'envers du système scolaire et de ses nébuleuses. On rencontrait des fillettes déjà manmans, accablées, qui trimballaient leurs nourrissons de la même façon qu'un paquet. Elles avaient brûlé leur innocence, parfois sous la contrainte et les menaces d'un parent proche, d'un ami de la famille, d'un voisin supposé bienveillant. Abusées, désabusées, elles continuaient à jouer à des jeux défendus, par ignorance et candeur, pour imiter leurs mères qu'on prenait pour leurs sœurs aînées. Sûr, on voyait des solitaires. Ils déambulaient le pas long, le regard torve, les mains dans les poches, guettés par la tentation de sortir de ce monde en suivant des fumées menteuses, des poussières d'étoiles, des chemins mystiques semés de petits cailloux blancs. Mais le plus souvent, ces enfants-là allaient par bandes. Squattaient des bouts de trottoirs au pied d'un poteau électrique sans éclairage, au fond d'une impasse sombre. Fratries improbables, gangs en devenir. Fallait les voir, marmailles mâtures avant l'âge caressant leurs mobylettes désossées, poulettes à belles poses et jactance remuant du croupion... Trâlées de jeunes coqs querelleurs et colériques agglutinés au bas d'un mur couvert de tags et barrant l'horizon. Grands et petits, ils aimaient tous se rassembler sur le terrain en friche promis à la construction d'un stade censé accueillir des compétitions d'athlétisme et des championnats de football d'envergure internationale. Cela faisait des années que les gens de la Ravine claire gobaient cette chansonnette des campagnes électorales. En attendant le premier coup de griffe d'un tractopelle, les enfants occupaient le terrain qu'ils appelaient « la savane ». On ne voulait pas trop savoir ce qui se tramait là. C'était leur territoire. Ils avaient leurs propres codes. De loin, on en voyait assis sur des roches, ou se roulant dans l'herbe, ou encore en train de danser sous le regard d'autres couchés auprès des haies de sang-dragon sauvages et crotons échevelés.... En passant, on entendait des cris et des rires, des piaillements, des refrains scandés jusqu'à la transe, des jurons... On savait qu'il y avait là des combats toutes catégories plusieurs fois par jour, de sévères luttes de pouvoir, aussi des parties de fumettes, des trafics d'armes blanches et d'autres à feu, des trocs spécieux, du recel, des secrets bien gardés, des abus sexuels...

On fermait les yeux et on prenait le large.

On supportait leur multitude, leur propension à se croire tout-puissants, leurs brutales façons, l'arrogance, l'insolence. Oui, faut le reconnaître, on regardait grandir ces enfants-là avec effroi. Sans règles ni lois, sans pères ni repère. On peut dire qu'ils poussaient là, à la Ravine claire, pareils aux arbustes épineux d'une terre à l'abandon. Un jour, ils feraient des arbres hauts — on le savait —, le bois serait dur, les branches retorses et le feuillage amer. Et ces arbres-là, personne ne se risquait à prédire quels fruits ils porteraient...

Lorsqu'elle arriva en sixième au collège Nelson Mandela de Lareine, un de ses professeurs lança à Sharon : « Je n'ai jamais rencontré un bon élément de par chez toi. Tous ceux qui habitent là-bas sont voués au pire. Perdus d'avance... »

La Ravine claire...

Jusqu'alors Sharon ne s'était pas vraiment rendu compte qu'elle et sa famille vivaient dans ce qu'il fallait bien appeler par son nom : un ghetto. Elle croyait que partout c'était pareil sur la terre, ce même monde violent, menaçant, angoissant. Sharon était née là, le 20 janvier 1997, à la Ravine claire, sa cité désolée nichée au pied du Morne Bisiou.

II

Avant de s'installer à la Ravine claire, Gina habitait chez sa manman Izora Bovoir qui possédait une maison de quatre pièces bien ventilée au bourg de Lareine. Cuisinière de profession, Izora travaillait à la cantine scolaire depuis une vingtaine d'années. Veuve à trente-six ans, elle ne s'était jamais remariée, repoussant tous les prétendants qui s'étaient déclarés au fil des ans. Elle avait élevé seule ses deux filles — Gina et Viviane — et construit sa maison en dur sans l'aide de quiconque, épaulée seulement par son époux Justin-Auguste Bovoir qui veillait sur elle de jour comme de nuit et qu'elle n'oubliait jamais dans ses prières aux défunts.

En 1992, à peine âgée de vingt ans, Gina avait déjà deux enfants : Steeve et Mona — quatre et deux ans — tous deux nés du même père, Fred Palmis, le livreur de pain qui avait promis à Gina de l'aider à ouvrir sa pâtisserie. Depuis son plus jeune âge, c'était son rêve et sa passion de faire des gâteaux. Et elle ne ratait pas une occasion de se mettre aux fourneaux pour exercer son art. Hélas, Fred Palmis était un menteur. Un bon à rien selon Izora. Et il fut malheureusement le premier des hommes de Gina. Le premier d'une belle liste ! À cette époque, Tatie Vivi entrait dans sa dix-septième année et fréquentait encore le lycée. Et puis, sous le même toit, on comptait aussi trois chatons : Gaspard, Melchior et Balthazar, et enfin Bozonégro, un jeune chien noir comme le désespoir, attaché dans la cour.

Bon Dieu, on n'est rien sur terre... En ce temps-là, Grand-mère était bien portante et femme debout. Elle ne fit pas la morale à Gina pour ses deux petits sans père. À quoi bon morigéner une femme laissée pour compte, déjà toute désillusionnée, se dit-elle. Fallait pas blâmer une contrariété, peut-être que ces enfants-là deviendraient des personnes illustres qui feraient un jour la fierté de la Guadeloupe et dont on parlerait en bien dans les journaux. Afin d'héberger Gina et sa progéniture, Izora prévoyait d'embaucher sans retard un maçon tâcheron de sa connaissance qui rognerait un peu sur la cour en jetant-accolant vitement deux chambres supplémentaires à la maison.

Le jour où Gina annonça que la mairie lui octroyait un logement très social — dit LTS — à la Ravine claire, Izora mit ses deux mains sur sa tête. Non, Seigneur ! Par pitié ! Elle défendait à quiconque d'aller là-bas.

La Ravine claire... Ce méchant trou à crabes au bas du Morne Bisiou, ce grand fond sans retour où l'on avait bâclé une trentaine de cases à deux sous pour parquer les cas sociaux après le passage du maudit cyclone Hugo qui avait ravagé la Guadeloupe en 1989. Izora promit des larmes de sel et sang à Gina si elle acceptait d'être logée là. Mon Dieu, elle avait un terrible pressentiment. Et, présageant ce qu'allait devenir la Ravine claire dans les années futures — un redoutable cloaque, un repaire de bandits, une niche de chiens délinquants —, elle la supplia de renoncer à ce cadeau empoisonné. Hélas, Gina considérait déjà qu'elle n'était plus en âge d'obéir à sa mère. Alors, en dernier recours, Izora réquisitionna Marga Despigne.

Après bien des tergiversations, la marraine qui habitait Floral se résolut à faire le déplacement jusqu'à Lareine. Et là, elle se mit à causer, mâchonnant son dentier trop grand pour ses gencives. La voix ébréchée, elle raconta une très très vieille histoire oubliée du plus grand nombre, connue de quelques-uns — nonagénaires, centenaires — qui finissaient leur existence recroquevillés sur des grabats à douleurs en espérant la mort, enfermés dans des corps poids plume décatis, reclus dans ces maisons de retraite où l'on déposait les vieilles gens las de vivre, et aussi les ronchons, les hideux, les chevrotants, et tous les anciens qui s'accrochaient à leur existence et s'illuminaient par intermittence à l'évocation d'un, deux souvenirs d'enfance.

C'était la troisième fois que Marga Despigne narrait cette triste histoire. Vingt ans de cela, elle s'était juré qu'on ne l'y reprendrait plus. Des gens avaient ricané la dernière fois. Elle pouvait encore entendre leurs sarcasmes. On avait posé des questions savantes et mis sa parole en doute. Quelqu'un avait couiné : « C'est un beau conte créole ! » Quoi qu'il en soit, lorsque Marga entra dans la maison de sa filleule Izora et déposa son corps sur le canapé de rotin, on aurait cru qu'elle remontait sans escale des ténèbres du temps jadis, ramenant dans ses phrases hachées un charroi de fantômes.

Voilà l'histoire, restituée dans son principal, passée de bouche à oreille jusqu'à ce jour...

« La Ravine claire abritait autrefois un campement de nègres marrons », commença Marga Despigne. Et puis elle se tut, ferma les yeux, fit glisser sa main flétrie sur ses lèvres. Et chacun retint son souffle, devinant qu'elle rassemblait ses mots pour plonger fond dans sa mémoire.

« Écoutez, écoutez ! souffla Grand-mère, manière de rompre le silence.

— Ceux-là ont dans l'idée de vivre libres le restant de leurs jours, reprit Marga soudain animée d'un bon allant. Ils font le serment de se battre jusqu'à la mort pour défendre la liberté chérie. Tous sont des échappés. Pour une raison ou une autre, ils ont fui... La misère des champs de canne, la férocité d'un maître, même le confort perfide d'une habitation. Nègres et négresses nés sur le petit continent Guadeloupe, ils n'ont connu que l'esclavage. Au commencement, ils sont deux : un homme et une femme qui viennent, l'un du Nord, Port-Louis, l'autre d'un domaine sis dans les hauteurs de la Capesterre. Judor et Théophée. La femme porte un enfant dans son ventre. Non, ce n'est pas son maître qui l'a mise en situation. Mais l'enfant dans son ventre appartient à son maître. Tout ce qui naît sur ses terres est le bien de *Misyé* le maître. *Misyé* Hippolyte.

« C'était ainsi en ce temps-là, soupira Marga Despigne, dodelinant de la tête comme un vieux dindon.

« La traite est abolie dans les colonies françaises depuis 1815. Mais l'esclavage perdure. Il faut quand même des bras pour que le travail se fasse dans les plantations. Le sucre l'exige. Les maîtres n'ont pas d'alternative. Grâce à Dieu, les bougresses font des petits. Les nègres engrossent les négresses pour engraisser le patrimoine du maître et agrandir son cheptel d'esclaves. Plus *Misyé* Hippolyte a des esclaves, plus il est content pour ses champs de canne, pour son sucre adoré. Et *Misyé* le maître revend aussi les négrillons nés sur son habitation à d'autres de ses congénères, si le cœur lui en dit, s'il a un besoin d'argent, une dette de jeu, une envie de beau voyage en Europe... Il fait pareil avec ses cochonnets, ses cabrissaux, ses poussins... Tous ses animaux...

« Auparavant, au temps où Théophée était encore esclave, elle en avait porté six. Six petits nègres, tous propriété de son maître. Elle leur avait donné son lait et les avait vus forcir. Et puis, le cœur déchiré, elle les avait regardés partir. Vendus l'un après l'autre par *Misyé* le maître qui n'aime pas que ses nègres se prennent à imaginer qu'ils peuvent disposer d'eux-mêmes et des fruits de leurs entrailles. Il se moque bien de ce que les grands juristes — au pays de France — ont écrit dans le Code nègre. Il pisse sur les abolitionnistes qui ruent dans les brancards de l'autre côté de l'Océan, sur le vieux continent. Il a prévenu sa négraille : "Tant que je serai vif, pas un de mes nègres ne pourra se racheter. Faut point s'attacher à ces petiots-là même s'ils sont sortis de votre ventre, ce sont mes biens meubles. Je les loue et je les vends quand ça me chante ! Et comptez pas sur un affranchissement ! Et je fouette et je mets à la barre ceux-là qui veulent pas entendre ce langage !" À ses yeux, les nègres sont pas plus civilisés que des primates. "Les femelles mettent bas où il plaît à Dieu, sans grande souffrance, comme si elles allaient déféquer, dit-il dans ses conversations de salon. Quant aux mâles, ce sont de bons reproducteurs et ils aiment ça, mes étalons, vous pouvez me croire, copuler c'est leur distraction et leur plaisir après le travail. Et moi ça m'enrichit".

« Théophée est déjà une vieille femme d'au moins trente-huit ans lorsqu'elle arrive à la Ravine claire. Et c'est presque un miracle, à son âge, elle est enceinte de son septième enfant. Et celui-là, Seigneur, elle ne veut pas que *Misyé* le maître Hippolyte le ravisse. Celui-là, elle craint qu'il soit le dernier enfant qu'elle puisse mettre au monde. Celui-là, Mon Dieu, elle veut le garder pour elle toute seule, pour la joie de son cœur. Celui-là, elle veut qu'il naisse libre... Alors, quand elle pressent que la petite vie a décidé de bien s'amarrer à elle, Théophée quitte la Capesterre et prend le chemin du marronnage. Elle marche d'un pas tranquille, droit devant, un panier de linge sur la tête. Elle passe auprès de trois gardes à cheval sans éveiller l'attention. Elle les salue, courbant bien bas la tête selon l'usage. Elle traverse des ti-bourgs, des rivières, des mornes, des champs. Si on la questionne, elle dit qu'elle se rend chez sa maîtresse qui attend sa lessive sans retard. Théophée se nourrit de fruits, de fleurs et graines. Elle se lave dans des mares, à l'eau d'une source, dessous la pluie. Un jour, sur sa route, elle rencontre le nègre Judor qui la devine grosse, en drive et presque à terme. Il murmure qu'il connaît un endroit caché, un trou invisible aux yeux des Blancs. Il vient de là. "C'est pas si loin, juste à deux pas, en descendant le Morne Bisiou". Et ce Paradis-là appartient au nègre Judor. Pour preuve, il lui a même donné un nom : la Ravine claire. En ce temps, il est rare comme un nègre aux yeux bleus l'esclave qui se dit possédant d'une terre au pays Guadeloupe. "Et le plus beau, s'extasie-t-il, c'est que les chiens perdent leur flair quand ils rôdent au bordage de la sente qui dévale le morne jusqu'à la Ravine claire. Je les ai déjà vus, de loin. J'étais perché dans la ramure du pied de fruits à pain que tu vois, là. Les chiens, ils grognent. Et puis, ils aboient à se démonter les mandibules. Mais ils sont barrés par quelque chose qui les empêche de se lancer. Au bout d'un moment, ils se mettent à tourner en rond à croire qu'ils voudraient se mordre la queue. Et ils détalent sans demander leur reste". Sur ces mots, Judor propose son bras à Théophée, comme s'il l'invitait à danser une valse au bal de la colonie. Faut le mériter ce bord du monde. Y a des petits cailloux qui courent sous vos pieds nus sitôt que vous empruntez la trace qui mène en bas. Elle s'agrippe à lui et ils entament la descente qui dure au moins le quart d'une éternité. "Je suis un nègre solitaire. Je suis libre. J'ai pas de femme pour me réchauffer le cœur. La liberté vaut pas grand-chose dans la solitude..." soupire-t-il à mi-parcours. Sa voix est veloutée. Elle le regarde à la dérobée tandis qu'il avance avec précaution, ajustant ses pieds cornés aux défauts de la sente qui s'amenuise au fur et à mesure. Le nègre a une belle figure : ses yeux sont couleur des fèves du cacao, les ailes de son nez palpitent sans forfanterie, une fossette égaye chaque côté de sa bouche. "Je reste pas longtemps. Seulement jusqu'à la délivrance, répond Théophée. — Si tu veux, je peux servir de père à ton enfant." La trace est pentue, bordée d'herbes coupantes et de halliers qui laissent un maigre passage, un cordon de terre presque invisible. Embarrassée de son ventre, la femme veille maintenant chacun de ses pas, de peur de dégringoler par en bas. Ce qui fait qu'elle ne peut plus l'observer. Elle sait pourtant qu'il sourit. Un large sourire d'homme modifie le son de sa voix. Et ce sourire doucit ses paroles, mieux qu'une once de miel sur sa langue. Elle secoue la tête pour dire non tandis qu'ils s'enfoncent soudain dans les hautes herbes de Guinée. Elle dit non...

« Non, répéta Marga Despigne et sa voix s'érailla, se fêla. Non... Non... »

Izora envoya sitôt Steevy chercher un gobelet d'eau fraîche de la potiche.

« Cinq années passent, reprit Marga. Cinq années de paix et d'amour entre Judor et Théophée. Nous sommes en 1845. Théodor, l'enfant de Théophée, est un garçon né libre qui marche avec son papa dans toutes les savanes alentour. À chaque fois que Judor grimpe le Morne Bisiou, il redescend à la Ravine claire avec des nouvelles fraîches et untel qui recherche Mamzelle Liberté et raconte que c'est pour bientôt... Oui, en l'île de la Dominique, elle est déjà arrivée depuis belle lurette. On l'appelle *Miss Liberty*. Depuis 1833 qu'elle fleurit là-bas, juste de l'autre côté de la mer. Et si elle tarde encore à venir en terre française, il faudra braver les eaux, enjamber les courants et affronter les vents contraires pour aller jouir de son corps sans entraves en Dominica. Au pays Guadeloupe, on dit que cela fait des siècles qu'elle est grosse et bientôt, oui bientôt, Mamzelle Liberté va accoucher d'un petit. À ce qu'il paraît, une loi Mackau a été votée en France. Bientôt les maîtres ne pourront refuser à aucun nègre de racheter sa liberté... Bientôt les maîtres n'auront plus de pouvoir de police sur leurs nègres... Bientôt l'esclavage sera aboli dans toute la colonie... Bientôt...

« Pour l'heure, la communauté compte près d'une cinquantaine d'hommes et de femmes et autant d'enfants. Bientôt ils seront cent. Oui, ils sont organisés. Chacun sait qu'il doit préserver les autres. Ils sont armés, coutelas au poing, carquois en bandoulière, roches à portée de main... Ils ont juré de défendre leur liberté. Ils plantent et récoltent et mangent les produits de leur jardin vivrier. Ils soignent les maladies avec les simples des abords. La rivière est tout près pour donner l'eau à boire et lessiver le linge. Le bois pourvoit à la fabrication des carbets, à la cuisson du manger quotidien. Les jours défilent dans la douceur de vivre. Oui, cela fait du temps qu'ils sont là et ils n'ont jamais vu venir le danger, ni au trot ni au galop. Ainsi, au fur et à mesure, ils relâchent leur vigilance. Ils se laissent étourdir et engourdir par les prédictions d'abolition, les contes de Mamzelle Liberté qui pleure et n'en finit pas de se tordre de douleur et promet d'accoucher dans l'heure, et de la *Miss Liberty* qui rit dans son Paradis. Ils imaginent qu'ils sont désormais en sécurité. Ils en oublient qu'ils vivent sur une terre qui prospère à leurs dépens. Ils oublient l'oreille coupée, le baril de clous, le supplice des quatre piquets... Ils oublient le fer rouge, le fouet, les jarrets tranchés, la potence... Petit à petit, ils déposent les armes, les coutelas effilés, les massues, les sarbacanes, les arcs et les flèches. Ils laissent les herbes assaillir les tas de roches disposés çà et là en prévision d'une attaque. D'ailleurs, et on pourrait en rire, ils en sont à se croire réellement invisibles aux yeux des Blancs, définitivement à l'abri. L'un après l'autre, Gratien, Bélizaire, Euloge, Hilaire, Pipisse, Soldat... les hommes cessent de monter la garde, préférant rester dans le giron de leurs compagnes, à sucer leurs tétons jusqu'à plus soif, à fourrer le fer dans la fente chaude la nuit durant. On se gausse de ceux qui se lèvent encore après minuit pour veiller les entours. Quoi, cela fait des lustres qu'ils n'ont pas vu un chien ! C'est donc sûr, la Ravine claire et tous les grands arbres environnants sont sous la protection des dieux. Même si on ne les connaît pas par leurs noms, faut honorer ces dieux-là qui nous permettent de vivre dans un semblant de paradis. Alors, ils fabriquent des instruments avec du bois fouillé, du bambou, des noix de coco, des calebasses et des graines... Et ils battent tambours et congas. Ils inventent des mélodies et ils dansent. Ils ont un orchestre au complet, avec flûtes, maracas, guitare et banjo. Et, un soir, ils commencent à chanter et jouer de la musique, jusqu'au petit matin. Avec sa flûte des bois, Hilaire les charme tous...

« Las ! s'écria Marga.

« En ce jour qui s'ouvre à peine, tout finit dans un cauchemar de sang et cendre. Ils n'ont rien vu venir, rien entendu. Soudain, ils sont encerclés par des chiens, une meute de molosses rosses à poil fauve, affamés et habitués à se rassasier de la chair des nègres. En deux-temps trois mouvements, ils sont trucidés par des mécréants, hachés au sabre, pourfendus, décapités, démembrés. Parsifal, Pipisse, Ti-Poule, Basile, Abomé, Gratien, Judor... On raconte que Théophée fut la dernière assassinée, celle qui vit tout le massacre du commencement à sa terminaison, jusqu'à ce qu'on lui enfonce et qu'on lui retire la lame d'un sabre dans le ventre, à trois reprises. On raconte qu'elle vit son fils Théodor courir vers elle et trébucher, et se relever, touché entre les omoplates par deux à trois balles. Et se relever encore et courir, faible, hagard, vacillant, tandis qu'un flot de sang jaillissait du mitan de son dos.

« Et tomber pour toujours, et se vider de son sang en un moment comme une flasque de vin jetée à terre. Et elle vit la terre boire le sang de son enfant. Tout le sang de son enfant né libre.

« On raconte encore qu'elle trouva la force de ramper vers lui pour le protéger des affres de la mort. Et, à l'agonie, elle le prit dans ses bras, tentant en vain de le ranimer. À ce qu'il paraît, elle garda les yeux ouverts après sa propre mort, afin que son esprit se souvienne de son bourreau, dans le regard duquel elle vit qu'il ne faut jamais mésestimer son ennemi et danser sur des fariboles et négliger de protéger la chair de sa chair. On raconte qu'elle portait l'enfant du nègre Judor dans son ventre. Son huitième enfant. On raconte aussi qu'avec Judor et quelques autres pétris de remords, elle habita les lieux longtemps après que l'esclavage fut tombé dans l'oubli, et que ses relents furent soufflés au loin, par les alizés et les vents mauvais.

« Voilà l'histoire vraie de la Ravine claire... Je me souviens, murmura Marga. Quand j'étais petite fille, mes frères assuraient que dessous une fine croûte de terre, sitôt qu'on grattait un peu, on rencontrait les ossements de ces nègres qui n'avaient pu trouver de digne sépulture, et aussi des éclats de potiches, des pierres taillées, des vestiges de campement : bois brûlé, roches à boucan, brisures d'outils rognés par les ans, débris de bijoux de corne et conque... La nuit, si on prêtait l'oreille, on entendait gémir les hommes, pleurer les enfants et hurler les femmes. Oui, de mon temps, l'un ou l'autre réapparaissait, nostalgique du jardin d'Éden que fut jadis la Ravine claire. Les fois où l'on descendait en famille laver le linge à la rivière, les mères demandaient toujours la permission aux esprits des lieux. On priait pour les âmes en peine emprisonnées là. Les créatures qu'on voyait n'étaient pas mauvaises. Non, non, elles restaient sur l'autre bord et nous regardaient faire sans broncher. On en trouvait aussi plantées au mitan de la grande savane comme des épouvantails ballottés par le vent. Parfois, l'une d'elles approchait sans jamais nous toucher. Mais on sentait sa présence : un vent glacé vous traversait le corps. Selon la saison, — mangos ou oranges — un enfant du vieux siècle se mêlait à nos jeux, s'asseyait sur une roche parmi nous autres. Un après-midi, l'un d'eux nous a emboîté le pas. Il a remonté le Morne Bisiou après nous. Arrivé sur le bas-côté de la route qui mène à Lareine, il est demeuré là, les bras ballants, tout éberlué par le spectacle des temps modernes, les automobiles et les cars qui déboulaient à vive allure traînant dans leur sillage une fumée épaisse comme la queue d'un racoon. »

Grand-mère hocha la tête et poussa un soupir qui en disait long sans trop se risquer.

« Quoi ! fit Gina. Vas-y ! Tu veux me dégoûter de la Ravine claire avec cette histoire...

— Non, Seigneur ! s'exclama Izora. Moi-même je ne connaissais pas tout ça ! Tu te rends compte que c'est dans cet endroit habité par les esprits que tu emmènes tes deux enfants, Gina ! Comment ils ont osé retourner la terre de nos ancêtres martyrs pour bâtir cette cité ? Bon Dieu ! nul n'est censé ignorer son histoire. Qu'est-ce qu'ils sont allés fouiller là ? À quoi bon déranger ces pauvres âmes en déveine ! Ils n'auraient pas dû réveiller la terre, creuser et bétonner tout ce passé, c'est pas bon, ça peut nous procurer que des tracas... »

Ensuite, Marga Despigne retomba dans la banalité, confirmant que la plupart des habitants actuels de la Ravine Claire étaient des personnes laissées en rade, peu fréquentables, qui avaient déjà eu à faire à la justice au moins une fois dans leur vie. Un ramassis de bougres échoués là, malpropres et batailleurs, et qui passaient le temps à bricoler le vide, trafiquer l'ordinaire, jouer aux dominos et boire du rhum sans frein. Quant aux bougresses, elles usaient les jours à s'épier l'une l'autre, végétaient dans le qu'en-dira-t-on, la rancœur et la jalousie en attendant un mari. Ensemble, lorsqu'ils ne se tapaient pas dessus, les hommes et les femmes de la Ravine claire remâchaient leur jeunesse perdue en priant le grand Satan de leur accorder une hypothétique fortune tombée d'un jeu de hasard.

Quelques années plus tard, Izora n'avait pas changé d'avis, bien au contraire. Elle descendait un peu forcée, en de rares occasions, à la Ravine claire, pour manger une part du gâteau d'anniversaire des enfants, un repas du dimanche. On la voyait parfois à Noël et à Pâques, pour un baptême, une première communion. Elle détestait plus que jamais l'endroit qui faisait régulièrement les gros titres du *France-Antilles.* « Je t'avais prévenue, Gina... Regarde ! les nègres s'entre-tuent à deux pas de ta maison. Viol, assassinat, braquage... Tu vois que tu peux arriver à rien de bon là-bas... Et pour tes petits c'est pareil... Tu m'as pas écoutée, ma fille... Tu sais faire rien d'autre que des bébés avec des grands couillons. Seigneur ! T'en es déjà à ton sixième.

Quand est-ce que tu vas chercher un travail sérieux dans une boulangerie ? Et tu m'avais parlé d'une formation ! Tu as toujours rien trouvé ? T'as essayé à la cantine scolaire ? Tu peux pas vivre en faisant des gâteaux pour le voisinage... Ça te rapporte quoi ? Des fois, tu penses à ta retraite ?... Et tes enfants ? Je t'avais averti, pas vrai ! Ils tournent mal, je le savais... Tu es pas même capable de les élever correctement... Moi, je te dis que l'air est malsain à la Ravine claire... »

III

L'air est mauvais à la Ravine claire...

Et c'était cette chanson qu'on entonnait partout. Un soir, en 2004 ou 2005, une télévision locale consacra une émission d'une heure à la Ravine claire. On avait rassemblé quelques femmes dans une courette, sous un flamboyant qui regardait tomber ses fleurs rouges comme des gouttes de sang. Les invitées étaient apprêtées, maquillées et coiffées avec soin. Assises en cercle sur des chaises en plastique blanc, elles avaient commencé à répondre aux questions de l'intervieweur. Empoignant un micro, telles des célébrités, elles avaient raconté leurs difficultés. Oui, elles avaient du mal à éduquer leurs enfants. C'est vrai, elles en avaient beaucoup, c'était leur chance, peut-être le destin... Dieu en avait voulu ainsi. Elles se sentaient parfois dépassées. Comme tout le monde, elles aimaient s'abreuver de séries policières américaines ou allemandes et de telenovelas sud-américaines. Pour oublier le quotidien, s'évader. Elles aspiraient à vivre autrement mais s'en remettaient au Seigneur, aux chevaux du PMU ou aux bons numéros du Loto pour qu'un changement survienne dans leur existence. Avec les allocations versées par les caisses de ceci et cela, elles rêvaient de posséder un salon en cuir, un frigo américain *No Frost* avec distributeur de glaçons, une antenne parabolique et des centaines de chaînes de télévision... Mollement, les lèvres retroussées de dépit, elles parlèrent chômage, formations, remises à niveau, recherches d'emplois, réinsertion professionnelle... À les entendre, on avait l'impression qu'elles avaient brûlé toutes leurs cartes et subissaient leur vie comme une malédiction. Et, à la manière dont elles décrivaient la platitude des jours et le vide de leur quotidien, on aurait dit qu'elles avaient été reléguées à la Ravine claire dans une sorte de purgatoire qui n'avait d'autre issue que l'enfer. Celles qui sortaient de leur trou prenaient un car. Elles descendaient à l'arrêt du centre commercial et déambulaient dans les allées de la galerie marchande, s'arrêtaient devant les vitrines, essayaient des vêtements qu'elles n'avaient pas les moyens de s'offrir. Plusieurs d'entre elles avaient ri, gênées soudain devant la caméra, effarées par les images humiliantes que produisaient leurs propres mots...

Quand ça la prenait, Gina Bovoir était capable de devenir l'une de ces femmes-là.

Une fois, elle avait emmené Sharon à l'hypermarché des Abymes. La veille, Vivi lui avait fait une coiffure à la Cléopâtre et Gina avait voulu se montrer ailleurs qu'à la Ravine claire. Elles avaient pris un car et traversé la moitié de la Guadeloupe. Au fur et à mesure que la ville approchait, le visage de Gina s'illuminait. « On va bien s'amuser, Ti-Sha ! » Quand le car les débarqua, sa mère était hilare. Sharon marchait dans ses pas, souriant malgré elle, grisée par l'abondance, le luxe et la variété des produits entreposés sur les rayonnages. Comme un automate, Gina attrapa un caddie qu'elle se mit à pousser puis à emplir de victuailles et friandises diverses de manière compulsive, trois sachets de cuisses de poulets surgelées, deux gros gigots importés de Nouvelle-Zélande, au moins dix litres de sodas roses et jaunes et verts, des kits de défrisage *Dark & Lovely* et *Dr Miracle's* made in USA, des crèmes de jour et de nuit, plusieurs CD de Patrick Saint-Éloi dont *Zoukolexion* et *Bizouk*... Et des moules à gâteaux hors de prix qu'elle envisageait de mettre de côté jusqu'à ce qu'elle ouvre sa pâtisserie, un jour... Et aussi des barquettes de glaces *Miko* et *Paradis* aux parfums de fruits tropicaux. Elle avait dit « Choisis ce que tu veux, Ti-Sha ! ». Et sous le regard fiévreux de sa mère, Sharon avait déposé quatre barquettes dans le caddie : corossol, goyave, coco, vanille... Sur le coup, la petite pensa que sa maman avait touché des arriérés de la CAF et que c'était la fête. Il n'en était rien. Gina ressemblait à Cléopâtre mais elle n'avait pas un sou. Elle singeait celles qui faisaient des courses. Pour se sentir égale à elles, fondue dans la masse des consommatrices, respectée, respectable. Voulait se rendre compte de ce que ça faisait : être dans la peau d'une de ces dames fonctionnaires qui roulaient en BMW et promenaient leurs caddies avec nonchalance, l'air satisfait, le portefeuille bardé de cartes de crédit. Quand elle en eut assez de tourner dans la grande surface, Gina gratifia sa fille d'un maigre sourire. On aurait dit qu'elle se réveillait d'un rêve avant d'atterrir de façon un peu abrupte dans la réalité. Trois heures qu'elles arpentaient les allées. Les gigots d'agneau étaient à moitié décongelés et du sang dégouttait du chariot comme si elles transportaient les morceaux d'un cadavre, laissant dans leur sillage une trace sanguinolente et suspecte. À regret, Gina finit par abandonner son butin au rayon des produits diététiques et, Sharon sur ses talons, fila sans mot dire entre les autos du parking, pour attraper le car en direction de Lareine, Thibaut et la Ravine claire.

La Ravine claire rassemblait à présent une cinquantaine de logements très sociaux construits pour abriter les défavorisés. Au commencement de l'année 2000, un demi-hectare avait encore été défriché et précipitamment aplani. Vingt logements supplémentaires étaient sortis de terre en à peine six mois. Quatre-vingts pour cent des gens qui vivaient là avaient pour chef de famille une femme. La plupart des mères étaient des chômeuses. Pour élever les petits, Sharon voyait bien comment les mères se débrouillaient : elles jobaient — des heures de ménage ou de repassage par-ci, du baby-sitting au noir par-là, des ateliers de couture, des salons de coiffure et des buvettes marronnes, des entreprises de restauration rapide clandestines, des commerces de gâteaux pas déclarés... Elles comptaient bien entendu sur les allocations de toutes sortes et aussi les euros laissés par les hommes de passage. Parce qu'elles étaient censées être des femmes seules, les pères devaient se cacher pour visiter leurs enfants, ne point trop s'attarder sous le toit de la dame, et ne rien laisser traîner qui permettrait de suspecter une vie de concubinage : brosse à dents, caleçons mis à sécher sur une ligne dans la cour, costumes dans l'armoire, souliers de pointure 43 à 47 sous le lit de la susnommée « parent isolé ». L'enjeu était de taille et la marmaille tenue dans la complicité. Si par malchance un contrôleur de la CAF pointait son museau et découvrait l'arnaque, c'en était fini des allocations. On vous coupait les vivres net. Alors, fallait surtout pas avouer qu'on avait un papa qui dormait là de temps en temps... Y avait pas de papa... Tous les gosses naissaient par l'opération du Saint-Esprit.

Au fil des années, les LTS avaient été modifiés, agrandis tant bien que mal. Tout comme Gina, la majorité des mères de Ravine Claire était solidement attachée à son habitat. Avec les jobs, la contribution des hommes de passage — pères d'un ou plusieurs enfants ou simples ferrailleurs sans conséquence — et les virements de la caisse, les femmes seules avaient entrepris des travaux pour assurer le bien-être de leur progéniture. Elles avaient fait abattre des cloisons de contreplaqué et élever des murs avec des parpaings, du ciment et du sable de mer, parfois prélevé la nuit sur la plage de Brissac — mais là n'était pas la question. Elles avaient dessiné des plans et magistralement allongé la case primordiale en jetant chambres et vérandas par-devant et derrière. Payant de leurs personnes, elles avaient fait carreler des terrasses, aménager des salles de bains et des toilettes. Au bout de plusieurs années, elles avaient finalement réalisé des constructions qui donnaient à penser que ceux qui demeuraient là vivaient décemment.

Les loisirs ? Étouffées sous les multiples crédits à la consommation dont elles avaient abusé, beaucoup étaient souvent pieds et poings liés, incapables de dépenser un euro de trop au risque de grever leur budget sur de longs mois. Quelquefois, faire un enfant de plus permettait de souffler un peu, grâce aux allocations de naissance qui renflouaient le compte bancaire. Certaines ne manquaient pas de se plaindre, marmonnant qu'elles haïssaient leur vie et plus encore les hommes qui les avaient poussées dans la misère. Leur grande consolation était de se retrouver dessous la véranda de l'une ou l'autre. Jacasser avec les copines, se plaquer des mèches sur le crâne, se teindre ou se défriser les cheveux, se poser de faux ongles et se faire une

French manucure, afin d'oublier durant quelques heures l'éblouissante cruauté du monde réel. La plupart en étaient réduites à passer le temps devant le poste, à se repaître de la bouillie télévisée, à commenter les séries américaines, à s'enflammer pour les personnages des telenovelas, à médire et cancaner sur les actrices de sitcoms.

Les enfants? Non, elles ne comprenaient pas ce qu'elles avaient raté, là où elles avaient péché, pour se retrouver avec des colonies d'ingrats qui se dressaient comme des ennemis sous leur propre toit. Elles avaient le sentiment de leur avoir tout donné et bien davantage. Et ces gamins-là ne fichaient rien à l'école, tournaient mal quand même, se laissaient entraîner dans tous les vices. Elles se sentaient souvent impuissantes et déprimées, démunies, insignifiantes...

Sharon regarda Dolly Mercéris se pencher à son tour au-dessus du cercueil et observer longuement le visage immobile de Tatie Vivi, comme si elle tentait de déchiffrer un quelconque message.

Dolly Mercéris n'était pas n'importe qui. À partir de son LTS planté dans sa courette, Dolly avait bâti le château de la Ravine claire. Sharon passait devant tous les matins pour aller à l'école.

Dame de cœur, Mamzelle Dolly habitait son palais de brique et béton construit avec l'argent de son corps : sa sueur enivrante, ses mains et ses yeux de sorcière, sa bouche avide, sa langue serpente, ses cuisses puissantes qu'elle refermait comme les mâchoires d'un étau sur n'importe quel individu, et surtout sa coucoune brûlante qui avait le pouvoir de transformer un triste sire à gros ventre et queue molle en Apollon.

D'après les conversations entendues ici et là, Sharon savait que Dolly mettait un point d'honneur à se protéger. La plupart des hommes qu'elle fréquentait — même les hauts fonctionnaires — rechignaient à enfiler un préservatif. Ces messieurs n'étaient pas des clients tels qu'on l'entend dans les basses sphères de la prostitution. C'était des amis sensibles et généreux qu'il fallait ménager. Mais Dolly ne jouait pas avec sa santé. Elle finissait toujours par les convaincre. Alors, ils cédaient sous le poids de ses arguments et l'impatience de leurs instruments. Dolly aimait tellement l'argent ! Elle avait besoin de beaucoup d'argent pour améliorer l'ordinaire des jours, acheter la robinetterie de luxe pour ses deux salles de bains, et les meubles anglais en acajou — dénichés dans de vieilles demeures barbadiennes ou kittitiennes — que son antiquaire de Basse-Terre lui mettait de côté, et la vaisselle de porcelaine fine, les verres de baccarat, et tous ses bijoux en or, et les sacs et les chaussures qui faisaient partie intégrante de ses accessoires de séduction... Elle priait Dieu avant chaque relation sexuelle. « Mon Dieu, je te remercie de me donner ta protection divine ! Épargne-moi du SIDA et de toute autre maladie grave et contagieuse : cancer, syphilis, bilharziose, scoliose... »

Trois mois avant la mort de Tatie Vivi, les deux sœurs causaient encore une fois de Dolly. De source sûre, Gina avait appris qu'avant d'adopter cette conduite stricte et vraiment exemplaire, la fille avait avorté au moins treize fois dans sa vie. Les faits s'étaient produits des années auparavant. À l'époque, Dolly n'était qu'une jeune putain insouciante émerveillée de voir avec quelle facilité elle pouvait s'enrichir en vendant son corps, qu'elle offrait sans latex au premier venu. Elle avait eu de la chance... Le temps avait passé. Et elle cherchait maintenant par tous moyens — naturels et surnaturels — à faire un enfant avec un richissime Italien rencontré, paraît-il, au cours d'une croisière dans les Caraïbes. L'homme était fou d'amour et voulait, disait-on, l'épouser au plus vite. Dolly l'aurait ensorcelé. Il ne connaissait rien de la vie de bordel de sa belle et n'avait pas d'enfant, donc pas d'héritier. N'étant pas certaine de retenir son *merluzzo* jusqu'au mariage, la créature pensait que lui annoncer une grossesse en cours était le plus sûr moyen de l'attacher doublement à elle. Au pire, s'il l'abandonnait, elle l'attaquerait en justice et ferait en sorte qu'il lui verse une confortable rente pour élever leur enfant. Dolly se voyait déjà dans la peau de l'hôtesse de l'air togolaise qui avait donné un enfant métis au prince Albert de Monaco, un magnifique petit Alexandre de...

Vivi avait eu la nausée avec l'histoire des treize avortements. La semaine précédente, Gina s'était trouvée dans le même état lorsqu'elle avait entendu parler de ces deux bébés cachés dans un congélateur à l'autre bout du monde, en Asie. Comment une mère avait-elle pu congeler ces petites âmes? Avec quels somnifères parvenait-elle à fermer les yeux la nuit, sachant que ses bébés dormaient dans des draps de glace, entre des poulets et des poissons?

Bref, jusque-là, Gina ne tenait pas Dolly en estime, plutôt en mépris. Treize avortements! gémit-elle, le cœur soudain bondé de haine : « Treize innocents! Crois-moi, Vivi, cette fille est ta bonne amie mais c'est une criminelle! Tu verras, elle ne connaîtra jamais la joie de mettre un enfant au monde. Et ce sera sa punition sur la terre... » Et — non moins amère — Vivi, qui rêvait d'être l'héroïne d'un conte de fées, de rencontrer un prince charmant en chair et en os, de se marier à l'église en robe blanche, de vivre heureuse le restant de ses jours et de faire beaucoup d'enfants, ajouta : « C'est pas juste qu'une putaine du genre de Dolly Mercéris trouve un homme à marier après l'existence malpropre qu'elle a connue... Et moi, je suis là à attendre Harry Barline comme une pauvre couillonne... Et, en plus, elle m'a demandé d'être son témoin au mariage... »

Voyant Dolly pleurer des rivières face à la dépouille mortelle de Vivi, Sharon eut le sentiment que la femme geignait sur elle-même, sur sa propre vie, ses enfants qu'elle ne pourrait jamais retrouver. Dolly n'avait cependant pas l'air si mauvaise. Treize bébés ! Sharon imagina la ribambelle d'angelots voletant dans le ciel, main dans la main, inséparables orphelins à la recherche de leur maman. Maigre comme une morue salée, le ventre plat, presque creux, Mamzelle Coloquinte avait perdu de sa superbe et sans doute aurait-elle donné tous les trésors de son château pour cet œuf tant désiré. Se souvenant des paroles prononcées par sa mère, Sharon fit un pas vers la Miss. Elle aurait voulu se blottir contre elle pour la consoler, conjurer le mauvais sort, faire ravaler sa condamnation à Gina.

Avec larmes, grands soupirs et mouchoirs blancs détrempés, un trio de clientes de Tatie Vivi se lamentaient en cœur derrière le feuillage d'un palmier en pot placé au pied du cercueil. Trois beautés noires, hautes, véritables caricatures de Naomi Campbell avec leur incroyable crinière synthétique cousue sur les cheveux naturels nattés au plus près du crâne, leurs faux cils, leurs ongles en silicone, leurs sacs et leurs lunettes noires de toutes marques fabriqués en Chine, dans des ateliers de contrefaçon... Les observant, Sharon se dit que ces femmes ressemblaient aux diablesses des contes d'Izora. Pleuraient-elles vraiment en mémoire de Tatie Vivi ou bien leurs larmes étaient-elles fausses aussi, comme tout le reste, les perles en plastique, les bijoux en toc, le similicuir ?

Izora considérait toutes ces belles gens chagrines avec un fin sourire, s'interrogeant sur ce que lui réservait encore l'avenir. Pourtant, elle ne semblait nullement ébranlée. Non, elle ne manifestait aucune tristesse. Elle venait de perdre sa sœur en juin. Septembre lui enlevait maintenant une fille de trente ans. Mais elle ne criait ni ne sanglotait. Bien au contraire, Izora enviait Vivi dans sa mort tragique et fulgurante. C'était simple comme arriver au bout du chemin, au bord d'une falaise. C'était beau comme la fin des combats.

Et à ceux-là qui venaient lui présenter des condoléances, elle répondait, pesant ses mots : « Oui, Viviane a été courageuse... » À croire que sa fille avait succombé après avoir lutté contre une terrible maladie. Et puis, elle ajoutait : « Elle a choisi la mort sans souffrance... » Et à chaque fois qu'Izora prononçait ces mots, Sharon voyait dans les yeux de sa grand-mère une forme de ravissement extraordinaire. « Oui, lui avait dit un jour Izora, la mort conduit au Paradis. Un endroit sans haine ni guerre ni pollution ni coups de sabre, ni maris trompeurs et fous de jalousie, ni sorcellerie, ni ventres vides, ni crédits, ni tribulations, ni enfants ingrats, ni coupures d'eau, ni factures, ni mépris, ni soucis ni colères, ni modes ni codes, ni malédictions, ni nègres ni Blancs... »

. . . .

En 2007, tous ces souvenirs mêlés remontèrent à l'esprit de Sharon lorsqu'elle découvrit pour la première fois Billy, son nouveau petit frère tout frais pondu à la maternité. Quand Gina l'obligea à l'embrasser, quand elle le regarda téter le lait aux grosses mamelles de sa mère, vorace, grimaçant et teigneux, Sharon revit les visages tranquilles et beaux des femmes mortes allongées dans leurs cercueils et surtout la figure réjouie de Grand-mère Izora.

Non, Sharon ne détestait pas sa mère. Elle voulait juste qu'elle meure pour cesser enfin de faire des enfants. Qu'elle s'envole quelque temps vers d'autres cieux, vers un Paradis. De toute façon, la mort n'était pas définitive, même si le corps tombait en poussière, l'esprit se relevait toujours. Si Gina mourait, elle allait revenir vivre une autre vie sur la terre, comme Tatie Vivi.

Pauvre Tatie Vivi...

Le matin de sa mort, Sharon l'avait aperçue. La fillette se trouvait dans le car scolaire qui emmenait les enfants des campagnes à l'école primaire et au collège. Située à la limite du bourg de Lareine, en place d'une terre jadis plantée en canne à sucre, la cité scolaire Nelson Mandela avait été inaugurée en 2005 par le ministre de l'Outre-mer en personne. Dans les salles de classe et dans la cour, les enfants de Thibaut, Lareine et la Ravine claire se rencontraient méchamment. En dépit des beaux discours, chaque élève était identifié, catalogué et orienté selon son adresse postale. Il y avait quelques classes mortifères exclusivement constituées d'enfants issus de la Ravine claire et d'autres où les élites de Lareine et Thibaut se mêlaient tranquillement. C'était seulement dans la cour et en dehors des grilles de la cité scolaire que les filles et les garçons finissaient par se fréquenter, même à se frotter les uns aux autres, à boire du vin de macaque mélangé à de l'essence sans plomb, à fumer de l'herbe. Et il faut dire, au risque de les trahir, que les filles de Thibaut étaient immanquablement attirées par les *bad boys* de la Ravine claire.

Pauvre Tatie Vivi...

Derrière la vitre du car, Sharon sourit à sa tante et agita les mains pour se faire reconnaître d'elle. Tatie Vivi la regarda sans la voir. Était-elle déjà morte ? La pluie de septembre tombait, presque fantasque, avec par moments une trombe d'eau qui stoppait brutalement — sans doute que là-haut un ange commandait tout cela. Puis, il y avait une sorte d'accalmie, hésitante, troublée par des gouttelettes molles échappées d'un nuage percé. Et soudain une rafale pissant une pluie drue, cinglante. Ceux qui ne s'étaient pas précipités sous les vérandas branlantes des cases abandonnées ou les entrées des boutiques et libres-services du bourg de Lareine, en attendant le retour du soleil, avaient ouvert leurs parapluies et vaquaient à leurs affaires comme si de rien n'était, imperturbables, se croisant indifférents, le dos peut-être un peu plus voûté qu'en temps ordinaire. Très vite, de larges flaques d'eau sale commencèrent à napper les pavés des trottoirs. Beaucoup de gens avaient les pieds trempés, le bas du pantalon dégoulinant et maculé de traces marronnasses. Tête nue, les vêtements complètement mouillés, le visage ruisselant de pluie et pleurs mêlés, Vivi allait d'un pas décidé et l'on voyait bien que personne n'aurait pu l'arrêter.

Ce même jour, en début d'après-midi, lorsqu'elle comprit ce qui était arrivé à Tatie Vivi, Sharon se dit qu'elle avait vu sa tante mélancolique marcher vers la mort avec un masque d'eau désolé, eaux douces et salées, eaux saumâtres. Deux jours plus tard, bien installée dans son cercueil, Tatie Vivi paraissait tellement tranquille, presque souriante. Plus rien ne semblait en mesure de l'émouvoir ou de la bouleverser. Sa vie s'était arrêtée du jour au lendemain. Comme un film qui se termine, de manière un peu sèche, sans scènes superflues. Voilà, Tatie Vivi était partie avec sa douleur. Et elle n'était plus que ce corps embaumé et tous les souvenirs qu'elle léguait aux vivants. Ils se rendaient compte avec effarement qu'ils l'avaient si peu connue. Elle ne ferait plus rien qui laisserait une trace en ce monde. Il n'y aurait jamais d'enfants qui l'appelleraient manman. Et un jour, elle reviendrait sur la terre pour tout recommencer, avec un autre visage, un autre nom, dans un autre pays, loin ou tout près des vivants qu'elle avait déjà rencontrés. Elle parlerait peut-être une autre langue. Elle aurait une autre histoire, plus belle... une autre chance de vivre son rêve...

Au retour du cimetière, tout le monde se retrouva au bourg de Lareine, chez Grand-mère Izora. Dessous la véranda, on avait disposé des tables avec des boissons et des plateaux tapissés de petits canapés et amuse-gueule de toutes couleurs. À présent que le corps de Vivi n'était plus dans les parages, les gens parlaient avec moins de retenue. Phillys Bordage faisait la queue pour boire un rafraîchissement tout en discutant avec Gina.

« Il aurait pu au moins se présenter au cimetière. Faire acte de présence. Rien du tout ! Ce type-là devrait se foutre en l'air pour le mal qu'il a fait autour de lui... » grognait Phillys.

Gina secoua la tête et rétorqua qu'elle avait l'intention de rencontrer Harry Barline. L'homme lui devait une explication. Phillys lui disait de laisser tomber. Mais Gina insistait. Non, il n'allait pas s'en tirer si facilement. Fallait qu'il rende des comptes : il avait menti et poussé Vivi au désespoir. Pourtant Gina lui avait dit de ne pas s'accrocher trop longtemps à un homme. Ils étaient tous pareils. Finissaient toujours par vous décevoir. Mais Vivi n'entendait rien, elle aimait tellement son Harry Barline... Non décidément, sur cette terre, les hommes étaient juste là pour faire la guerre et donner des enfants aux femmes. Fallait s'attacher qu'un moment à eux, le temps qu'ils plantent la graine... Et sur ces mots acerbes, Gina essuya une larme et tourna le dos à Phillys Bordage.

Tatie Vivi aurait pu durer encore quelques décennies si elle n'avait pas rencontré Harry Barline. Elle avait précipité sa fin, se jetant d'un balcon perché au quinzième étage d'une des tours de béton érigée en marge de la vieille ville de Pointe-à-Pitre. Quand Harry Barline lui avait dit qu'il renonçait à se marier, Vivi n'avait pas réfléchi longtemps. Elle avait soudain senti que tout s'effondrait en dedans d'elle. Non, elle n'avait rien montré de cet éboulement. Mais elle était convaincue qu'il lui serait impossible de survivre à un tel affront et que la honte infligée là serait trop difficile à surmonter. D'une voix froide, elle avait demandé le nom de sa rivale. Harry avait juré qu'il ne la quittait pas pour une autre. Mais il avait appris par de bons amis qu'elle était une femme frivole qui avait déjà connu beaucoup d'hommes. Il ne pouvait pas lui donner son nom — le beau nom des Barline. Alors, elle s'était jetée sans remords ni regrets. Et tant pis pour les projets ! Tant pis pour le VIP SHOW ! Tant pis pour sa jumelle de cœur, Phillys Bordage, et le chagrin qu'elle ne manquerait pas de causer à Gina. Tant pis si ses quatre nièces et ses deux neveux pleuraient toutes les larmes de leurs yeux ! Elle savait qu'ils l'aimaient bien, mais elle n'avait plus la force de vivre... C'en était trop... Toutes ces humiliations, tous ces renoncements, toutes ces concessions...

Cette putain de Dolly Mercéris allait se marier avec un Italien. Et elle, Vivi, resterait sur le carreau. À trente ans... Non, elle n'aurait pas le courage de soutenir les regards de compassion, de supporter le chœur des négresses délaissées qui à coup sûr entameraient leurs couplets désolés sur la scélératesse des hommes et la misère des femmes. Elle trouvait cette vie décidément trop moche. Oui, Viviane Bovoir avait pesé le pour et le contre et conclu qu'elle n'avait pas d'autre issue que grimper les quinze étages de la tour Schoelcher pour quitter ce monde au plus vite. Et puis revenir, une autre fois.

IV

Petits, ils savaient si bien tromper le monde. Ils n'étaient qu'innocence. Paraissaient tant vulnérables. On eût réellement dit des angelots tombés du ciel. Ils ne faisaient que téter le lait de Gina, dormir, pleurer, souiller leurs couches. Rien qu'en les regardant, on était comblé. Filles ou garçons, ils se laissaient laver comme des poupées de plastique. Et c'est avec amour qu'on s'occupait d'eux. On se plaisait à les habiller et à les coiffer, à lisser leurs frisottis avec de mignonnes petites brosses au poil de chèvre souple et si doux. On se battait pour les changer, essuyer leurs fesses crottées, et chanter des berceuses qui les emportaient dans un sommeil sans peine. Il suffisait qu'ils répondent à vos sourires pour que vous vous trouviez ensorcelé un petit bout de temps. Sûr, ils étaient attendrissants quand ils commençaient à marcher, à dire leurs premiers mots, Tatatata... Ababa... Mamama... Puis à tenir un crayon... À ces âges infimes, ils souriaient volontiers. Et pourquoi ça changerait ? Même si on savait que c'était un rêve, on voulait croire qu'ils allaient se comporter ainsi tout au long de leur existence. Mais non, un jour, les gentils bébés se transformaient en grands enfants tordus. Ils ôtaient le masque et l'on comprenait que c'en était terminé de la candeur angélique, des risettes à la demande, des mots magiques et du béat ravissement. Ils montraient leurs vrais visages.

« Non, on fête pas 2009 ! » répéta-t-elle pour la troisième fois.

Gina venait de dépenser ses allocations en joujoux et cadeaux de Noël et elle n'avait plus un sou. L'argent qu'elle avait gagné en vendant ses gâteaux était parti dans la poche du médecin et du pharmacien. Tonton Max l'avait déjà bien aidée et elle n'avait pas l'intention de lui demander d'envoyer même dix euros. D'ailleurs, pour les refroidir, elle avait dit aux enfants que 2009 ne lui inspirait guère confiance. Trop beau pour être vrai, trop clinquant, trop prometteur... Les gens faisaient des amalgames avec les homonymes. À leur avis, sitôt posé le pied en 2009, on tomberait dans une autre dimension. Et dès lors, tout serait différent, merveilleux, on n'aurait qu'à bazarder les vieilleries de 2008 pardessus son épaule, les chaînes, les chagrins bleus, les échecs à répétition, et puis les doutes, les regrets, les remords... Et c'était sûr, on se réjouirait de l'an neuf qui était supposé effacer le passé usagé et apporter un lot de bonnes choses et de belles nouvelles aux Noirs du monde entier parce qu'en Amérique un Black nommé Barack Obama serait bientôt président des États-Unis, à moins qu'un détraqué mental ne le tue avant l'investiture prévue le 20 janvier 2009, la veille de l'anniversaire de Sharon.

. . . .

La dernière fois que Gina avait fêté le changement d'année, c'était pour 2000.

Je m'en souviens
J'étais déjà là dans sa vie
Je la regardais aller et venir
Elle m'ignorait

À l'approche de l'an 2000, on entendait toutes sortes de sons de cloches, mais on ne savait pas de quoi le lendemain serait fait. Alors, on regardait le ciel et on croyait voir flotter, comme en suspens au-dessus de la Guadeloupe, des nuages de Fin du Monde qui figuraient des abîmes, des Charybde et Scylla, et même — déployées aux confins de l'horizon — de gigantesques cartes de géographie sur lesquelles on pouvait nettement délimiter les reliefs et contours de l'enfer. On craignait le pire et on se tenait en alerte, dans une attente inquiète, avec l'impression d'être à la veille du passage d'un cyclone. D'aucuns répandaient la rumeur que l'année 1999 accoucherait du chaos et qu'il fallait profiter des ultimes moments de la vie parce qu'on allait tous mourir, être décimés par des gaz toxiques, noyés dans les flots déchaînés d'un déluge, terrassés sous le feu des cieux. « En l'an 2000, sonnera l'heure grave du Jugement dernier. Préparez-vous, pauvres pécheurs, nègres à malédictions... Les paroles de la Bible sont limpides. Il est encore temps de vous repentir afin d'accueillir le Sauveur... », déclaraient les prédicateurs. Fallait pas douter. Fallait juste croire pour être sauvé, car Dieu reconnaîtrait ses enfants parmi la multitude des mécréants... D'autres racontaient qu'on s'acheminait vers l'avènement d'une nouvelle ère et que les extraterrestres s'apprêtaient à débarquer pour envahir et coloniser la planète Terre, à la manière des Européens se ruant vers les Amériques dans les siècles passés.

Je les regardais s'agiter
Je me demandais parfois s'ils pensaient à ceux qui les avaient précédés sur cette terre
S'ils songeaient à tous ceux qui avaient autrefois péri à la Ravine claire

Cette nuit-là était demeurée mémorable dans l'esprit de Gina. À l'époque, elle avait vingt-huit ans et seulement quatre enfants. Steevy et Mona, les aînés, qu'elle avait eus de Fred Palmis, le livreur de pain, dont elle ne voulait pas trop se souvenir. Et puis, Sharon et Junior qui étaient nés à la Ravine claire en 1997 et 1999.

Je me souviens du père de Sharon

Je me rappelle le jour où il est descendu jusqu'à la case de Gina

Il ressemblait trait pour trait à Pipisse l'un des nègres d'antan

Taillé comme un Mandingue

Un géant rasta. Il portait ses locks roussâtres enroulées sur la tête pareilles à un chignon de lianes épaisses et il s'appelait Rodrigue, Stéphane Rodrigue, mais tout le monde le connaissait sous le nom de Kounta Kinté. Le 15 mai 2000, il dit au revoir, déclarant qu'il partait déterrer ses racines au Burkina — anciennement royaume de Ouagadougou. Sharon avait trois ans. Personne ne le revit plus en Guadeloupe à compter de ce jour-là. Pour les dix ans de Sharon, il envoya une carte postée de Bobo-Dioulasso. Le courrier arriva à la fin du mois de février de l'année 2007, plus d'un mois après son anniversaire. Kounta souhaitait une bonne fête à sa fille et racontait qu'il était devenu un homme d'affaires à Bobo Diou et cetera. Il jurait qu'il pensait à elle tous les jours de sa vie et qu'il la ferait bientôt venir en vacances. En se moquant, Mona prédit que la prochaine fois que Kounta Kinté enverrait de ses nouvelles, ce serait en 2017 et Sharon aurait vingt ans.

Quant à Teddy Cosmos, le père de Junior, il passa dans la vie de Gina plus vite qu'une étoile filante, le temps de lui donner un quatrième bébé. C'était un métis. Sa mère était blanche, bretonne, et son père, un nègre de Sainte-Anne qui vivait de la pêche.

Sans doute, jeunette, Gina avait-elle aimé plus que de raison Fred Palmis et Kounta Kinté. C'est vrai, elle ne pouvait le nier, ces deux zèbres l'avaient fait pleurnicher quelquefois. Mais elle se forçait, pour imiter les autres. Voilà ce qui lui était apparu un jour qu'elle cherchait à déloger la vérité au fond de son âme. Elle pleurait des larmes de crocodile pour se mêler aux femmes abandonnées dans le marigot de la Ravine claire. Non, elle ne se souvenait pas avoir chéri tant que ça aucun des pères de ses enfants. Est-ce qu'elle avait aimé ce Teddy Cosmos d'un amour authentique ? Pas une fois, elle n'avait pleuré en l'espérant. Son cœur était comme asséché et ne s'emballait même pas quand elle imaginait Teddy venant à sa rencontre. Jamais elle n'avait senti une pointe jalouse lui triturer le corps lorsqu'elle le surprenait à reluquer des donzelles à tétés bombés et fessiers rebondis. Certes, elle ne boudait pas les plaisirs de la chair. Mais elle s'intéressait principalement aux hommes à cause de leur semence, parce qu'ils avaient le pouvoir de lui donner un bébé. Voilà ce qu'elle désirait plus que tout. Un nouveau bébé à porter, gâter et chouchouter. Et c'est ainsi que trois mois avant la naissance de Junior, elle avait obligé Teddy Cosmos à ficher le camp de sa case, sans procès ni jugement. Il aimait tellement ses gâteaux ! Surtout celui qu'elle faisait à l'ananas et au coco... Oui, Teddy était parti.

Par deux fois il s'était retourné. Et dans son regard flottait une peine immense sortie de son âme. Oui, il s'en était allé, comme Fred Palmis et Kounta Kinté avant lui. Aux dernières nouvelles, Teddy vivait en Bretagne, chez sa mère, à Quimper.

Après Junior, convaincue de prendre une bonne résolution et se jurant à elle-même de s'y tenir, elle avait décidé que c'en était assez. Elle devait réfréner cette irrépressible envie de bébé qui la saisissait certaines années, comme une sorte de maladie à fièvres et frissons. Elle en avait longuement discuté avec Vivi. Non, elle n'en aurait pas d'autres. Un instant, pour la première fois, elle songea à la bande de marrons assassinés du conte de Marga Despigne.

À la veille de l'an 2000, Gina avait déjà quatre enfants. C'est bien suffisant pour une mère âgée de vingt-huit ans, déclara-t-elle. De nature peu contrariante, Vivi hocha la tête et approuva sa décision. Quant à Izora, elle avait de tout temps jugé sa fille aînée déraisonnable. À quoi bon s'épuiser encore en paroles inutiles ! Gina n'en faisait qu'à sa tête. Alors, elle avait renoncé à gaspiller sa salive en leçons de morale et mises en garde. Elle se contentait de prier. Advienne que pourra... De toute façon, personne ne connaissait la route ni la destination. Si les grandes lignes de l'existence étaient écrites en haut-lieu, il n'y avait qu'à subir en attendant la mort. Si tous les enfants présents et futurs de Gina avaient déjà leurs noms inscrits quelque part en haut lieu, on n'avait pas d'autre choix que les accepter, les accueillir...

La situation semblait avoir empiré depuis que Gina habitait la Ravine claire.

Déjà quatre enfants, Seigneur !

Elle était incapable de résister à la tentation. Et, comme dit comme fait, il y avait toujours un monsieur embusqué dans ses parages, prêt à la combler et à déguster ses beaux gâteaux fouettés, ses tourments d'amour, ses chaussons à la noix de coco et à la goyave... Si l'homme était convoqué, s'attardait, un petit bébé sortait tout chaud des entrailles de Gina au bout de huit ou neuf mois. Depuis peu — et c'est ce qui désolait Izora — sa fille prêtait l'oreille aux beaux discours d'un certain Jean Rocasse, un carreleur originaire de La Désirade qui jouait parfois au menuisier. Il l'appelait Darling à tout bout de champ et croyait ferme au débarquement des extraterrestres.

Je savais déjà qu'il serait le père de son cinquième enfant
Elle le voulait aussi
Je l'ai pas forcée
Elle le désirait tellement fort
Son bébé
Son beau bébé
Et ce serait une fille cette fois
Une si jolie petite Perle

Celui-là était un nègre rouge. Il avait la bouche épaisse de Danny Glover et un fond comique qui la faisait rire aux éclats à toute heure — même pendant leurs ébats amoureux. Ils avaient laissé les enfants à la garde de Tatie Vivi. Toute la nuit, ils avaient bu, ri et fait l'amour en attendant le nouvel ordre du monde. Gina avait promis à sa mère et à Viviane qu'elle serait prudente. Qu'elle se retiendrait de tomber enceinte encore une fois. Elle avait menti. Au petit matin, elle avait demandé à Jeannot de la prendre encore une fois, sans précaution.

Une si jolie petite Perle

Huit mois plus tard, en août de l'année 2000, elle accoucha d'une fille, Perle. Son cinquième bébé. Sincèrement, à l'époque, Gina s'était dit que Jean Rocasse serait le dernier homme de sa vie, celui qui l'aiderait à élever toute sa marmaille, celui qui serait à ses côtés dans le pire et le meilleur. Izora était en colère. Si elle n'avait pas eu le secours de ses prières et de sa sainte Bible, elle aurait maudit sa propre fille. Seigneur, Gina lui avait maintes fois servi cette chanson-là et pourtant cela ne cessait pas. Comment une femme pouvait-elle s'amuser ainsi à prendre et jeter les hommes et mettre des enfants au monde pour s'en trouver embarrassée au bout d'une ou deux années? On aurait cru qu'une force maléfique s'emparait de l'esprit et du corps de Gina, anéantissait sa volonté... Eh oui, de nouveau, il y avait eu un flot de belles promesses.

« Non, je ne le laisserai pas partir... Je suis sûre que je ne me lasserai pas non plus de lui. On vieillira ensemble... » Et sa voix tremblotait comme celle d'une criminelle qui connaît la longueur de son parjure.

« Si Dieu le veut! rétorqua Izora. Si Dieu le veut... Mais peut-être que tu devrais aller voir quelqu'un de ma connaissance qui te délivrera de ce mal, au nom des Écritures... Rappelle-toi les paroles de Marraine... Moi, ma fille, je crois que les esprits de ce temps-longtemps rôdent encore ici-bas... Peut-être que la négresse Théophée n'a pas fini de pleurer ses enfants perdus et vendus... »

Gina fit la sourde oreille. Non, elle n'était pas de celles qui voient le Mal à tous les quatre-chemins de la vie. Rien n'aurait pu gâter sa joie.

Et cette année avait été réellement merveilleuse, d'une douceur incroyable dans les bras de Jeannot. La Fin du Monde n'avait pas eu lieu mais, tout au long de l'an 2000, Gina avait eu le sentiment d'être une bienheureuse, la rescapée miraculée d'une catastrophe. Les extraterrestres avaient différé leur visite. Les oiseaux de mauvais augure et marchands d'Apocalypse avaient remballé leurs méchants présages. Enceinte, énorme, enivrée par sa grossesse, Gina avait eu le sentiment de porter toute l'espérance du monde dans son ventre. Et elle aurait voulu que cet état de plénitude et perfection dure des mois encore, des années. Mais les bonnes choses ont toujours une fin. Comme ceux qui l'avaient précédé, le bébé était pressé de sortir et elle n'avait pu le retenir. Perle naquit le 12 août.

Quelques mois plus tard, Gina déplorait déjà la fin de sa belle histoire d'amour avec Jeannot. Ce qu'elle avait vécu avec lui ressemblait à présent à un voyage rêvé. Elle avait cru l'aimer tellement fort. Et elle s'était fourvoyée, encore une fois, pour un bébé. Sûr, elle aurait voulu comprendre ce qui provoquait ces revirements en elle, cette subite aversion, cet implacable désenchantement.

Il n'y avait rien à faire... Pas de réponse...

Un beau matin, se réveillant, elle constata que le charme était rompu, brisé, en miettes. Nous étions en mars de l'année 2001. Le 24 mars. En sortant du lit, avant même qu'elle pose le pied gauche par terre, elle chercha des noises à Jeannot, pour un mot de trop qu'il aurait dit la veille à Steevy.

« T'es pas son père ! T'as pas à lui parler comme ça, ni à crier après lui dès que tu le vois ! Si je fais pas attention tu vas bientôt lui flanquer une rouste et lui casser un bras ! Cet enfant est traumatisé. Faut le ménager ! T'as pas entendu ce que j'ai dit quand je suis revenue de chez le psychologue du collège : Steevy n'a que treize ans et il est en train de se rebeller, c'est normal. Faut pas le provoquer ! On doit être patient avec lui... Je te préviens, t'as pas intérêt à le frapper, t'entends ! Et c'est pareil pour les autres. D'ailleurs, j'aime pas la façon que tu as de surveiller Mona ces jours-ci... Prends garde à toi si tu as de mauvaises intentions ! Pourquoi tu vas l'attendre à la sortie du collège ? Elle t'a rien demandé... N'oublie pas que t'es chez moi et mes enfants sont plus ici chez eux que toi... T'as bien compris, Jean Rocasse ! »

Pauvre, les enfants l'appelaient Tonton Jeannot.

Il se défendit de son mieux, racontant qu'il aimait ces petits qui n'étaient pas les siens. Selon lui, ils avaient besoin de sentir l'autorité d'un père. Jean souhaitait incarner ce papa qui leur manquait tant. Il ne voulait que le bien de Steeve. Il prétendait aussi protéger Mona et Sharon et Junior. Une fois, il avait surpris Mona en train de boire du vin à la bouteille et de fumer une cigarette louche. Elle ne se cachait même pas. Assise en amazone sur un booster, elle était entourée d'une bande de négros tout dégingandés, le regard cossard des consommateurs d'herbe.

« Elle a seulement onze ans, Darling ! Elle est en sixième et elle fréquente déjà les garçons de quatrième et troisième... Mona est en danger, Darling... Ça ne te fait pas peur ! Je lui ai dit de me suivre, c'est tout... Je lui ai dit : Viens avec Tonton Jeannot, ma fille... »

Mais Gina avait déjà entendu la version de Mona. De l'alcool ? Non ! Il s'agissait d'un peu de jus de pomme. Quant à la cigarette, c'était la première et la dernière fois. Et les supposés *dangerous boys* n'étaient que des voisins de la Ravine claire qu'elle connaissait depuis la maternelle. Mona avait pleuré et promis à sa mère qu'elle ne fumerait plus jamais... Non, fallait pas écouter Tonton Jeannot !

Ce jour-là, avant de quitter la case pour se rendre sur un chantier à Dugazon, Jeannot traita Mona de petite menteuse. Il prédit aussi des larmes à Gina qui mettait ses paroles en doute. « Dans quelque temps, je te jure, tu te souviendras de ce que je t'ai dit aujourd'hui... Crois-moi, tu ne vas pas tarder à découvrir le vrai visage de ta fille. » Gina répondit que si c'était comme les extraterrestres, elle n'avait pas fini d'attendre.

On peut dire que les fameuses prédictions de Jean Rocasse avaient de quoi dégoûter Gina. Mais ce n'était qu'un prétexte. Fin 2000, elle ne supportait déjà plus d'entendre sa grosse voix d'homme s'élever à tout moment dans la case, pour commenter ci et ça, et réprimander les enfants qui ne faisaient jamais rien à sa convenance. C'est vrai, il contribuait aux dépenses du ménage, ramenait des courses et de l'argent. Mais il l'agaçait tellement avec sa façon de jouer au papa du *Prince de Bel-Air*, au mari contrôleur. Et puis, elle devait s'occuper de son linge, laver, repasser, ranger... Au risque de lui faire perdre ses allocations, il avait emmené des valises de vêtements qui encombraient la petite armoire de sa chambre. Et il était là, tous les soirs avec sa grosse gueule pendante et son envie de câlins. Oui, sitôt sorti du travail, il plongeait à la Ravine claire. Toujours là, dans ses pieds, à parler du temps qu'il a fait et qu'il fera, à critiquer et surveiller la marmaille... Le pire était qu'il avait toujours une envie pressante de raconter des blagues pendant qu'elle était occupée à regarder ses séries télévisées. Et la voix de Jeannot couvrait celles de ses héros. Sans doute, estimait-il que ses paroles à lui étaient bien plus pertinentes que celles de Neil Winters ou de Kelly Capwell... Oui, Gina avait fini de rire et elle réfléchissait. Au moins trois mois qu'elle songeait à le flanquer dehors, comme Teddy Cosmos.

En fin d'après-midi, lorsqu'il rentra du travail ce même 24 mars, elle boudait encore. Il tenta de lui voler un baiser. Elle détourna la tête. Elle portait son masque de mère outragée et ce drôle de foulard noir sur la tête qui recouvrait des nattes défraîchies. Cependant, il la trouva belle, désirable. Et, pour la dérider, il lui raconta l'histoire d'un vieux paysan nègre des Grands-Fonds qui prenait l'avion pour se rendre à New York où vivait son fils. Sans se forcer, Gina aurait pu éclater de rire vingt fois aux mimiques de Jeannot. Mais non, elle en avait bien terminé avec lui et elle s'obligea à garder son air renfrogné tandis qu'il mimait les manières boloko du vieillard égaré dans les allées de l'aéroport JFK, demandant son chemin en créole à des Américains stressés. Alors, dépité, ignoré de tous,

Jeannot alla s'asseoir sur la troisième marche de la véranda.

Et il resta là, songeur, jusqu'au dîner, observant le va-et-vient des passants, se distrayant du manège des gamins, de ces saynètes et spectacles divers que ne cessait d'offrir le petit peuple de la Ravine claire. Au fond de lui, naïf et tristement imbu de lui-même, Jean Rocasse rigolait en douce. Il n'imaginait pas que sa Gina puisse le jeter de la sorte, non plus qu'elle reste fâchée trop longtemps avec lui. Il avait déjà abandonné des femmes; aucune ne l'avait quitté. Pauvre, il ne le pressentait pas encore, mais ça se voyait comme le nez au mitan de la figure qu'il était déjà en partance, en sursis, un pied dedans et l'autre dehors. Et les gens qui déambulaient dans la ruelle le saluaient sans trop savoir s'il fallait lui dire bonsoir ou bien au revoir.

Quand, à la cantonade, elle cria de venir dîner, il déplia son corps prestement et accrocha son grand sourire de Danny Glover avant d'entrer dans la case. Gina avait ouvert trois boîtes de raviolis, un genre de manger italien que détestait Jeannot. Les enfants se bâfraient déjà. Prenant place à table, il se sentit tel un intrus au milieu d'eux qui riaient fort et causaient à tort et à travers, agitant leurs couverts. La façon d'être débridée et provocante des enfants était implicitement autorisée par Gina. Les petits percevaient si bien les sentiments de leur mère. Jeannot aurait dû se taire. Il savait qu'on lui tendait un piège. Pourtant, il osa trois mots de reproche.

« Doudou, tu sais bien que je n'aime pas ça... »

La réponse était déjà prête.

« Si t'aimes pas, tu manges pas. Je force personne à manger sous mon toit, j'ai déjà dit que je veux pas offenser les gens qui meurent de faim en Haïti... »

Avec son fichu noir amarré sur la tête et ses raviolis, elle ressemblait soudain à une mamma italienne métissée haïtienne. Quelques mois plus tôt, pour rire et dans les mêmes circonstances, il aurait pris un accent et lancé une blague de sa composition. Mais Gina n'avait pas l'humeur rieuse ce 24 mars 2001.

Jeannot écarta les bras, implorant : « Pourquoi tu fais ça, Doudou ? Pourquoi tu veux pas donner un père à tes enfants ? Pourquoi tu changes de langage du jour au lendemain ? On a un beau bébé ensemble, Darling. Tu oublies que je suis le papa de Perle... Je suis pas une girouette, Gina. Je vais pas partir avec un coup de pied au cul, crois-moi ! Je suis pas un chien... »

Le ton doucereux était en train de virer à l'aigre. Comme si on l'avait piqué, Steevy releva la tête et lança un sale regard à Jeannot. Du même coup, il empoigna son couteau. Et d'un bond, il était debout, faisant voltiger sa chaise en arrière. À treize ans, il mesurait déjà près de un mètre soixante-huit. Sans la moindre émotion, on le sentait paré à enfoncer la lame dans le ventre de Jeannot.

« Tu respectes ma mère, t'as compris ! »

Mendiant son aide, le pauvre Jean Rocasse se tourna alors vers Gina, comme s'il s'adressait à la Sainte Vierge, le dernier recours des causes désespérées.

« Regarde-moi s'il te plaît, Darling... Tu trouves normal que ton fils me cause de cette façon ? Pourquoi tu le reprends pas ! Est-ce que notre histoire est déjà finie, Darling ? Non c'est pas vrai, Seigneur ! C'est pas possible... Dis-moi que je rêve... Aujourd'hui, tu t'es levée et tu as décidé que tu voulais plus de moi... C'est comme ça que tu as fait avec tous les autres, hein... »

Brandissant son couteau, Steeve répondit à la place de sa mère : « Oui, tu dégages ! On veut plus de toi ici ! »

En écho, la voix aiguë de Mona s'éleva à son tour.

« T'as compris ! Tu dégages, on veut plus de toi ici ! »

Et serrant le bébé Perle dans ses bras, sans même jeter un regard à son Jeannot, Gina souffla : « Laisse Steevy, dépose ton couteau, il va bientôt partir... »

V

« Non, je fais pas de dîner ce soir... On fête pas 2009, Sharon ! Je s0uis à sec, je t'ai dit... Qu'est-ce que vous voulez de plus ? Vous avez déjà eu un grand colombo d'ailes de dindes ce midi... On croirait que vous êtes jamais rassasiés... »

D'ailleurs, fêter quoi en ce 31 décembre 2008 ?

Dès le matin, en changeant la couche-culotte de Grand-mère Izora, elle avait déclaré que l'année 2008 avait été une calamité et que 2009 ne s'annonçait guère meilleure. En effet, Steevy — son fils aîné âgé d'à peine vingt et un ans — dormait à la prison de Fonds Sarail depuis près d'un an et demi, pour l'affaire du braquage avec arme perpétré à la station Texaco de Bassinière, dans la nuit du 26 au 27 mars 2007.

Lors du procès, un an plus tard, trois jeunes de la Ravine claire se trouvaient au banc des accusés. Après des mois d'enquête et de procédure, la justice avait été incapable de désigner l'auteur du crime, celui qui avait tiré sur l'employé de la station. Aucun n'avait craqué, se dénonçant ou bien accusant l'un des deux autres. Le fusil à canon scié impliqué dans l'affaire n'avait pas été retrouvé et les trois zigues avaient les mêmes traces de poudre sur les doigts. Quoi qu'il en soit, touché par une balle de gros calibre au niveau de la colonne vertébrale, le pompiste avait cette nuit-là perdu à jamais l'usage de ses membres inférieurs. Pauvre Monsieur Grégoire ! Il s'était présenté à la barre dans un grand silence, en fauteuil roulant, le visage cadavéreux. Assise au premier rang, semblable à une jeune veuve souffrant du mal de l'infini, son épouse était de noir vêtue. Les yeux fixes, elle était là sans être là, l'esprit occupé à ressasser sa douleur, à repeindre sans fin la toile de son monde éboulé. Les larmes coulaient sur son visage en continu, monotones comme une pluie de septembre. Et ses lèvres mâchonnaient quelque chose qui ressemblait à des Ave Maria par la couleur et la texture — sûrement, pensa Gina, implorait-elle la Vierge Marie de lui donner la force de tenir debout au mitan de ce désastre.

Dans la tête de Gina, une petite voix soufflait qu'elle était la mère d'un des criminels dont parlait toute la Guadeloupe, mais elle ne se sentait pas vraiment concernée ni responsable. Les coupables devaient payer pour leurs péchés. Et si son fils était l'un de ces bandits, elle acceptait déjà l'idée de le savoir en train de purger une lourde peine de prison. Non, elle n'avait pas l'intention de quémander la clémence de la justice.

Gina était montée dans le car de la délégation contre sa volonté, entraînée par les mères de la Ravine claire qui faisaient le déplacement pour soutenir leur progéniture. Lorsqu'elle entendit le procureur parler de Steeve et de ses comparses comme de trois monstres au sang-froid créés par la folie de notre monde, elle n'en fut pas offusquée, non plus affectée, ainsi que les autres femmes qui gémissaient et sanglotaient dans leurs mouchoirs. Steeve était bien son fils devant l'état civil mais cela faisait longtemps qu'elle s'était détachée de lui. Longtemps qu'elle l'avait effacé de son cœur et le savait monstrueux.

Longtemps qu'il s'était perdu
Longtemps vendu perdu
Comme les autres
Vendus perdus
Longtemps qu'elle avait oublié son visage d'enfant
Ses risettes
Les premiers pas
Les premiers mots

L'avocat axa défense et plaidoirie sur la misère sociale et affective des accusés. Il demandait aux jurés d'accorder des circonstances atténuantes aux trois lascars. Chacun avait connu une enfance sans père et grandi dans un quartier déshérité. Ils avaient été élevés par des mères immatures incapables de leur donner une éducation convenable. Livrés à eux-mêmes, rejetés des filières classiques de l'éducation qui s'avéraient inadaptées à leurs cas, ils étaient tombés sur les mauvaises personnes et avaient basculé dans la délinquance avant de sombrer dans le grand banditisme. L'avocat évoqua le déclin de la société antillaise et la faillite de la famille créole. « Tous, nous sommes tous responsables de ces vies sacrifiées. De ce gâchis phénoménal... Non, tonna-t-il en regardant les jurés avec gravité, ne les jugez pas comme s'ils ne pouvaient pas être vos propres enfants ! Ne les croyez pas si différents des vôtres ! Non, vous n'avez pas face à vous aujourd'hui de méchants *bad boys* surgis d'un ghetto innommable d'une banlieue noire d'Atlanta. Vous jugez vos enfants ! Devant vous se trouvent aujourd'hui NOS ENFANTS ! Les fils de la Guadeloupe, l'avenir hypothéqué du pays. Soyez-en convaincus, ils étaient des agneaux à leur naissance. Nous n'avons pas voulu les entendre lorsqu'ils appelaient à l'aide. Nous avons détourné le regard quand nous les avons vus s'engager dans de mauvais chemins. Nous ne sommes pas allés à leur rencontre afin de leur proposer un soutien, une formation, un travail, un job. Non, nous les avons laissés enfler de haine sans but ni horizon. Nous les avons ignorés tandis qu'ils s'enlisaient dans le désespoir. Ces enfants, nous les avons abandonnés à eux-mêmes... Voilà la vérité ! » tonna l'avocat. Et il marqua un temps, dévisageant tour à tour chacun des jurés. « Depuis leur incarcération, reprit-il, je vous assure qu'ils ont eu tout le loisir de repenser à cette terrible nuit du 26 mars 2007. Oh oui ! Ils étaient sous l'emprise de toxiques. Ils ne l'ont pas nié. Ils ne savent même plus lequel d'entre eux était en possession de l'arme fatale. Je vous conjure de croire qu'ils regrettent du fond du cœur ce qui s'est passé. Ils demandent pardon à Monsieur Grégoire. Ils veulent se racheter. Mesdames et messieurs les jurés, je vous implore de leur donner une chance de se reconstruire, de se réhabiliter. Une seule petite chance, je vous en supplie... N'accablez pas davantage ces mères éplorées ! N'ajoutez pas de la haine à la haine ! Croyez-moi, ils ont déjà largement payé en remords ce qu'ils ont fait cette nuit-là, je le répète, sans désir de nuire, de blesser... »

Steeve et ses acolytes furent condamnés à huit ans de prison. Steeve garda la tête baissée durant les audiences. Gina ne chercha jamais à accrocher son regard ni à y lire un mot de repentir ou à percevoir un soupçon de honte. Elle pensait qu'ils auraient écopé d'au moins vingt ans chacun. Huit ans pour avoir pris les deux jambes d'un homme, sa vie d'homme debout. Cette peine semblait bien dérisoire et la scène irréelle. Avant d'être relâchés, auraient-ils le temps de remâcher leur faute ? En effet, les deux autres mères se réjouissaient de manière impudique de la clémence de la justice, assurées que leurs bandits de fils seraient libérés au bout de quatre ou cinq ans à peine pour bonne conduite. L'une poussa même un petit cri de victoire. La seconde embrassa ses sœurs et toutes essuyèrent des larmes de joie, de soulagement. Dans le camp des victimes, la femme de Grégoire éclatait en sanglots et s'effondrait dans les bras d'un assesseur. Voilà, c'était fini. Accablé par le sort, incapable de se dresser sur ses jambes mortes et de brandir le poing pour réclamer justice, le pompiste ressemblait à un jouet cassé qui considérait tout ce théâtre d'un air lointain.

C'est à ce moment que Gina se surprit à toiser Steeve, comme s'il s'agissait d'un étranger qu'elle craignait de voir bientôt ramener son corps chez elle et réclamer pain et beurre, Coca, viande roussie, et compagnie.

Qu'était devenu son Titi chéri, son doux Steevy? Qui était ce haut nègre étroit d'épaules, avec cette barbichette de faux prophète, ces cheveux coiffés en trois nattes-cornes dressées sur la tête? Il avait répondu au nom de Steeve Bovoir. S'était levé à l'appel de ce nom. Oui, autrefois, dans un autre temps, il avait été Titi, son premier bébé qui sentait si bon le talc et l'eau de Cologne et lui offrait des sourires à toute heure. Maintenant, le blanc de ses yeux était jaunâtre comme ses dents tachées par l'herbe. Ses mains tremblaient. Et il les occupait à gratter la chéloïde qui lui barrait la joue, ou bien à triturer les graines grises de *kanik* du collier passé autour de son cou, ou encore à se palper les parties génitales, comme pour se rassurer. Il avait revêtu un grand T-shirt publicitaire blanc, immaculé, vantant la pureté d'une eau de source de Guadeloupe — *D'lo an nou*! — et un jean troué et élimé qui descendait presque au bas de son derrière. Le regard chafouin d'une mangouste, il avait parfois l'air de se demander ce qu'il fichait là, de qui on parlait... Ce jour-là, Gina avait décidé qu'il était mort, qu'elle n'irait jamais le voir à la geôle de Fonds Sarail, à Baie-Mahault.

Vingt mois plus tôt, quand les gendarmes débarquèrent à la Ravine claire — à deux cents ! selon le *France-Antilles* du 30 mars 2007 —, elle ne fut pas étonnée qu'ils stoppent devant sa porte. Steeve n'opposa aucune résistance. Il était allongé sur son lit, calme, fumant un joint, en train de contempler ses grands orteils en éventail plaqués sur le mur encrassé jour après jour dans cette posture qu'il adoptait toujours, pour réfléchir sur sa vie ou préparer un mauvais coup. On aurait dit qu'il les attendait. Le fusil braqué sur lui, au moins dix gendarmes se tenaient prêts à le canarder pendant que d'autres le forçaient à quitter son lit, le molestant. Menotté en un rien de temps sous les yeux de sa mère, de ses frères et sœurs, il était parti, la tête basse, torse nu, tel un vaincu, un nègre marron rattrapé par les rabatteurs de son maître. Tout le peuple de la Ravine claire était sur le pas de sa porte, des commentaires pleins la bouche. Les trois bandits avaient été interpellés dans le même temps.

Ce jour-là je me suis couchée sur le lit à côté de lui
Personne ne l'entendait mais il priait dans son cœur
Il avait peur
Il demandait pardon sans connaître les bons mots
Il était déjà perdu depuis longtemps
Depuis si longtemps
Je l'ai supplié de ne pas résister aux chiens
Aux fusils
Je l'ai prévenu
Ils arrivent
Ils viennent te chercher avec leurs molosses
Leurs longs fusils qui crachent la mort
Je ne veux plus pleurer à la Ravine claire
Je ne veux plus voir de sang versé
Ils t'emmènent pour un petit temps
Pars
Va
Tu reviendras

Depuis la mort de Vivi, Izora vivait seule dans sa maison. Le 3 avril 2007, en apprenant ce qui était arrivé à Steeve, elle lâcha un cri et s'affala comme un grand sac vide au mitan de sa cuisine. Des voisines accourues la trouvèrent étendue sur le carrelage blanc. Après deux, trois calottes, Izora ouvrit les yeux et se releva avec toute sa tête. Une heure plus tard, le docteur déclara qu'elle ne souffrait de rien d'autre que d'une douleur morale qui guérirait avec le temps. Hélas, le lendemain soir, Grand-mère faisait sa congestion cérébrale et se retrouvait à l'hôpital d'où elle sortit une semaine plus tard, en fauteuil roulant, impotente, embarrassée de son vieux corps, engoncée dans des couches-culottes comme un petit bébé, complètement délirante et confuse. Le docteur qui signa son exeat assura qu'avec des séances de kiné et des montagnes de patience, elle devrait s'en sortir... Non, elle n'avait plus sa place à l'hôpital.

Un mois plus tard, Izora retrouvait les deux tiers de sa lucidité, parvenait à reconnaître les enfants, à dire des choses justes et à rire à propos. Cependant, elle avait en permanence besoin d'assistance. Des difficultés à manger, à se mouvoir et se laver. Souffrait aussi, parfois, d'incontinence. Les services sociaux firent le nécessaire pour le maintien à domicile d'Izora. Une infirmière se présentait deux fois par jour pour la toilette et la prise des médicaments. Une aide-ménagère s'occupait de l'entretien de la maison. À certains moments, le regard de Grand-mère s'illuminait de lueurs jaunâtres, puis virait sépia. Elle se croyait alors revenue au temps de sa jeunesse et radotait, dépoussiérant ses anecdotes surannées. Voyait son père et sa mère assis auprès d'elle, et même sa sœur Chimène — la vieille Tantante morte en 2006 — et puis d'autres gens qui l'approchaient, lui causaient, la saluaient et semblaient attendre quelque chose d'elle. Une fois, Vivi était là. Montrant un siège vide, Grand-mère demanda à Junior et Perle d'embrasser leur Tatie. Ils s'étaient mis à ricaner. Elle les traita de jeunes couillons insignifiants et ordonna qu'ils aillent chercher d'autres chaises dans la salle à manger, car il y avait beaucoup de défunts venus la visiter : des grands-oncles et grands-tantes, un maître d'école, une jeune amie jadis retrouvée noyée dans une mare, feu Justin-Auguste Bovoir, son mari. Et elle s'entretenait avec ses invisibles comme s'ils étaient de ce monde, constitués de chair et d'os, dotés de la parole et capables d'éprouver des sentiments.

Dévouée, bonne fille, Gina se déplaçait chaque midi pour apporter le déjeuner de sa mère. Elle passait l'après-midi à Lareine. Et, quand Tonton Max ne venait pas la chercher, elle rentrait le soir par le dernier car qui descendait à la Ravine claire. Le dimanche, elle obligeait toute sa marmaille à monter pour la journée chez Grand-mère Izora. Bien entendu, on ne comptait déjà plus Steeve et Mona quand on mettait le couvert à Lareine ou à la Ravine claire. Ces deux-là — les enfants de Fred Palmis —, Gina les avait depuis longtemps gommés de son cœur, effacés de son esprit. À cette époque déjà, quand elle disait : les enfants, elle entendait : Sharon et Junior, Perle, Judith et Katy, la fille de Mona. De toute façon, que pouvait-elle y faire ? Steeve dormait à la geôle de Baie-Mahault et — si elle n'était pas morte — Mona devait traîner quelque part, défoncée, entre les eaux saumâtres de la mangrove de Jarry, la rivière salée et les tombes du cimetière de Pointe-à-Pitre.

Au bout de deux mois, le docteur jugea que cette organisation — quoi que conséquente — s'avérait insuffisante. Même si elle parvenait à se déplacer grâce à sa canne, Mme Bovoir n'était plus en mesure de vivre seule dans sa maison, à moins qu'une personne ne veille sur elle chaque nuit. Grand-mère était déjà tombée deux fois et l'infirmière l'avait retrouvée le matin avec une bosse sur le front, le nez en sang et une douleur à l'épaule droite.

À ce moment-là, Gina avait le choix. Elle aurait pu décider d'embarquer ses enfants et d'aller vivre dans la maison de sa mère qui était vaste et commode, bien située au bourg entre l'église et la boulangerie. Tonton Max était d'accord. Gina aurait pu sauter sur l'occasion que lui offrait la destinée : louer sa case de la Ravine claire, ce qui aurait fait une rentrée d'argent... Laisser les négresses de ce méchant trou à crabes à leur déveine, comme disait Izora... Et remonter définitivement le Morne Bisiou pour retrouver le monde civilisé. Quitter le ghetto qui lui avait déjà pris Steeve et Mona. Oui, Grand-mère avait raison : « Faut jamais blâmer une contrariété ! » C'était le bon jour pour commencer une nouvelle vie. C'était une chance — et sans doute la dernière — de sauver ses enfants. Izora ne cessait de répéter que l'air était malsain à la Ravine claire, qu'on avait bâti les cases sur un cimetière d'esclaves — ou plutôt un charnier.

Non, Gina n'avait pas dans l'idée de laisser sa case
De toute façon elle n'aurait pas pu
Elle attendait déjà son septième enfant
D'une manière ou d'une autre je l'en aurais empêchée
Elle était là pour moi
Elle était là pour nous tous

Sans perdre de temps, Gina commanda une ambulance aux établissements *Le Salut du Sud.* Et Izora eut beau supplier, menacer et tempêter, elle fut obligée de quitter sa maison et monter dans la berline qui l'attendait devant sa porte. Et c'est ainsi qu'en moins d'une heure, avec une valise de quarante kilos, elle se retrouva à la Ravine claire, le seul endroit sur terre où elle ne voulait pas vivre. Dieu est bon et Il sait ce qu'Il fait... Mais Il n'avait pas dû comprendre ce que Grand-mère Lui avait demandé tant de fois, se dit Sharon en cédant sa chambre toute neuve. Non, Izora n'aurait pas la chance de partir sans souffrance ni retard comme Tatie Vivi. Alors, à compter de ce jour, dans la plus terrible des tribulations, Izora se mit à attendre et attendre la mort sans même la voir venir à reculons.

Pendant des mois, les gens de la Ravine claire n'eurent d'autre sujet de conversation que l'arrestation des trois garçons. Bien sûr, on plaignait les mères. On priait pour ne pas avoir à subir pareille avanie. On faisait même l'apologie du régime castriste : remède miracle des Caraïbes pour rétablir la loi et l'ordre parmi la jeunesse de Guadeloupe. Mais surtout, on cherchait des responsables au niveau des autorités : la municipalité, le conseil régional, l'Éducation nationale, les services sociaux... La délégation — qui s'était entre-temps constituée en association baptisée : Mères conscientes de la Ravine claire — allait comme en pèlerinage à la prison. En fin d'après-midi, ces femmes rassemblaient autour d'elles une assistance avide de nouvelles carcérales. Le dernier samedi de chaque mois, elles invitaient des personnalités religieuses ou politiques qui s'époumonaient derrière un micro. Ils avaient une tribune de choix. En effet, toute la Ravine claire, de la rue Guy Tirolien à la rue Gerty Archimède, était contrainte d'écouter leurs discours faits de ressassements et encombrés de mots ronflants derrière lesquels se cachaient des ambitions personnelles inavouées et un féroce appétit de pouvoir. Oui, ces manifestations ressemblaient de plus en plus à des grands-messes qui mêlaient morale et psychologie, foi et pédagogie, politique et démagogie... En dépit des nombreuses invitations, Gina ne se joignit jamais à cette assistance nombreuse assoiffée d'espérance.

Un après-midi, dessous sa véranda, elle déclara que son fils était mort à l'une de celles qui tentaient de l'embringuer dans l'association de Mères conscientes de la Ravine claire. Venue récupérer le gâteau de baptême de sa fille, la femme tentait de la convaincre d'aller rendre visite à Steeve à Fonds Sarail. Elle lui faisait la leçon. « C'est ton enfant, Gina. Une mère ne doit jamais abandonner ses petits. J'ai cru comprendre qu'il te réclame. Tu n'as pas le droit de l'abandonner, Gina. Est-ce que tu pries pour lui, Gina ? Est-ce que tu demandes pardon au Seigneur ? C'est toi qui l'as mis sur terre, ma pauvre... Nous devons nous redresser, redevenir les poteaux-mitan qu'étaient nos mères ! Tu dois... » Gina la fit ficher le camp au quatrième galop, lui demandant de ne plus jamais revenir lui parler de Steeve.

Les derniers souvenirs heureux qu'elle avait de Steevy ?

Ils remontaient à la prime enfance... Lorsqu'il était cet adorable bébé qu'on appelait Titi. Lorsqu'il savait encore sourire... C'était seulement ces images-là qu'elle voulait conserver de lui. Après ce temps béni, il n'y avait plus rien eu de bon ou d'agréable. Que des problèmes. À l'école primaire et au collège de la cité scolaire Nelson Mandela, au lycée Aimé Césaire... Les grands esprits de ces grands hommes n'étaient pas descendus visiter le petit esprit de Steeve. Adieu Steevy ! Il était devenu un mauvais garçon qui ne lui avait procuré que des soucis ! Embrouilles et mensonges, promesses jamais tenues et menaces, convocations à la police... Angoisses, terreurs nocturnes, insomnies... Sorti de sa vue, il était sorti aussi de son cœur...

Une fois, avant son arrestation, il avait même levé la main sur elle... Il avait été tout près de la frapper. Et il avait suspendu son geste. Oui, quelque chose l'avait retenu au dernier moment, peut-être un restant de sentiment filial. Le poing serré, il avait cogné à plusieurs reprises dans le mur au-dessus de la tête de Gina. Cogné, jusqu'à en avoir la main en sang. Cogné, ahanant, les mâchoires crispées, le visage haineux, déformé. Cogné... Gina n'avait pas bougé. À un moment, elle ferma les yeux, attendant qu'un coup finisse par l'atteindre. Mais subitement, il s'interrompit. On aurait cru qu'une personne de grande autorité l'avait hélé. Il baissa le poing tout en toisant sa mère. Si les yeux pouvaient tuer, elle n'aurait pas survécu à ce mauvais regard. Il lui tourna le dos. Et les mots injurieux se mirent à sortir de sa bouche comme une longue bête rampante : « Pauvre fille, salope, suceuse, femme-rate, chienne... » Elle n'osa pas répondre. Elle aurait voulu pourtant. Il aurait fallu qu'elle se redresse un peu devant lui. Qu'elle ose élever aussi la voix. Elle s'entendait déjà proférer des menaces, tenter une punition. Elle aurait voulu crier qu'elle regrettait de l'avoir mis au monde. Elle aurait voulu lui dire qu'elle détestait ce qu'il était devenu. Elle aurait voulu hurler toute sa peine... Mais elle n'était pas de taille et les mots se retiraient l'un après l'autre dans le fond de sa gorge. Qu'était donc devenu Steevy? Elle savait qu'un mauvais esprit l'habitait et surtout qu'un couteau de trente centimètres était planqué sous son matelas. Est-ce qu'il pensait vraiment ce qu'il venait de cracher? C'était donc ainsi qu'il la voyait... Elle savait qu'on l'appelait le

Boss à la Ravine claire et qu'il aimait se battre avec ses ennemis et ne se privait pas de tabasser les filles. Ravalant sa salive, Gina le dévisagea un instant, sans trop le provoquer, et s'éloigna en maugréant. Non elle n'avait pas la carrure pour l'affronter. Elle tremblait de tous ses membres, terrorisée par son propre fils. Steevy venait d'avoir seize ans, elle en avait trente et un, mais paraissait tellement jeune. Les gens qui ne la connaissaient pas lui donnaient à peine vingt ans. Il mesurait un mètre quatre-vingt-sept. Gina touchait à peine les un mètre cinquante-neuf. Devant les enfants, elle se sauva. Elle fila, craignant qu'il ne l'attrape par les cheveux, ne la jette sur le sol et ne la roue de coups.

À la Ravine claire, il était courant que des fils dominent leurs mères. Il arrivait que des fils violent leurs mères. On entendait des affaires sordides, racontées à mi-voix. Oui, des fils violaient leurs mères et parfois leurs grands-mères pour des bijoux grains d'or et colliers-choux qu'ils allaient revendre ou échanger contre de l'herbe, du crack. Et cela s'était aussi produit que des fils violent leurs mères pour rien, ou plutôt pour contenter le génie démoniaque qui habitait leurs corps.

Enfin, grâce à Dieu, Steeve avait fini par arriver à destination — case prison — comme dans un scénario facile. Y en avait beaucoup de sa catégorie — au bout du compte, ils faisaient pitié. Sous leurs masques de grands fauves, ils n'étaient que des petits garçons apeurés égarés dans la jungle. Ils se croyaient tenus d'assumer ces personnages frustes, hostiles, rebelles en simili, nègres marrons factices, de s'y conformer, comme s'ils n'avaient pas eu le choix de leur rôle.

Mais sans doute, enfermé dans sa geôle, Steeve avait-il oublié le démon qu'il incarnait pour les siens. Est-ce qu'il lui arrivait de pleurer ? Un jour, de la prison, il avait écrit à Gina. La lettre d'un gamin parti en colonie de vacances et qui demande des douceurs à sa maman : une part de gâteau au chocolat fait par manman, un paquet de bonbons, un peu d'argent. Il avait osé écrire alors qu'il savait bien qu'il était mort pour elle. Deux ou trois fois, Gina avait reçu ces enveloppes dans le coin desquelles s'était posé un petit avion bleu qui donnait à penser que le courrier venait d'Outre-Atlantique et que son fils était un globe-trotter.

Steeve n'avait jamais aimé l'école. Dès le cours préparatoire, il l'avait déçue, refusant de reproduire son alphabet. Et là, il avait pris la plume, formé gauchement ses lettres pour réclamer de l'argent, des cigarettes, un briquet. Gina ne lui avait pas répondu. Elle ne voulait tout simplement plus entendre parler de Misyé Steeve, le Boss de la Ravine claire. Parfois, quand le téléphone sonnait, elle imaginait que c'était — à l'autre bout du fil — une voix de la prison de Baie-Mahault. Une bonne nouvelle. Son cœur se mettait aussitôt à cogner un peu plus fort. Allo ? Nous avons le regret de vous annoncer que votre fils s'est pendu ce matin dans sa cellule. Allo ? Madame Gina Bovoir ? Allo ? Vous m'entendez ? Steeve a reçu plusieurs coups de couteau au cours d'une rixe. Malheureusement, il est décédé de ses blessures ce matin...

VI

Cela faisait des jours que Mona n'était pas réapparue. Tout le monde savait ce qu'elle fichait dehors, même ses petits frères et sœurs... Elle passait sa vie à chercher le moyen de se procurer du crack. Mona avait dix-neuf ans. Elle était accro. Elle vendait son corps pour une pipe, une cannette, un *spong*... Elle était devenue une *crackwhore.* Tout ce qui l'intéressait, c'était la galette, la roche, les cailloux blancs. Mona était une jumpie, une *pawo,* qui traînait son corps comme une défroque pouilleuse. Tout ce qu'elle envisageait passait par les vapeurs du crack qu'elle pouvait inhaler. À la connaissance de Gina, sa fille n'avait jamais fait de taule. Elle avait été interpellée plus d'une fois, coffrée une nuit par-ci, par-là au commissariat pour tapinage, mendicité ou grivèlerie. Souvent, elle avait tenté de se refaire dans des centres d'hébergement pour toxicomanes, entre deux eaux. Mais elle ne tenait pas et fuguait au bout de deux jours, pour retrouver ses dealers. Mangeait parfois une soupe ou une part de pizza à Saint-Vincent-de-Paul. Faisait les poubelles des fast-foods. Marchait le long des routes entre Pointe-à-Pitre et Jarry quand elle ne savait que faire de son âme. Les pompiers l'avaient déposée aux urgences du CHU à maintes reprises. La dernière fois, Mona était à moitié morte, pliée par les douleurs abdominales. Elle pesait trente-sept kilos pour un mètre soixante-cinq. On l'avait transférée au service psychiatrique parce qu'elle souffrait d'hallucinations, de graves troubles du comportement, d'anorexie. En 2004, elle avait accouché d'une petite fille née prématurée — Katy — dont personne ne voulait parce qu'elle avait un œil qui partait à gauche et l'autre à droite. Katy avait maintenant quatre ans et vivait à la Ravine claire chez sa mamie. Mais Gina se trouvait trop jeune pour qu'on l'appelle Mamie. Alors, elle avait habitué Katy à l'appeler Maman.

Quelle journée !

Aux dernières heures de l'année 2008, Gina aurait pu avoir la paix...

Non, les enfants voulaient la rendre folle avec leurs cris.

Pour d'obscures raisons, Perle et sa copine Anna s'étaient encore battues comme des poulettes, prenant la case pour un ring. Sharon les avait regardées sans même chercher à les séparer. Lasse, Gina aussi avait laissé faire. Elles avaient fini par s'épuiser et partir chacune de son côté, avec des griffures et des bosses sur tout le corps.

Dans la matinée, la petite Judith qui avait à peine cinq ans avait couru après un ballon dans la cour du voisin. Elle s'était fait mordre au menton par le molosse amarré à une grosse chaîne rouillée qui était l'ennemi juré de Bozo-négro, le vieux chien de Grand-mère, qu'on avait dû ramener à la Ravine claire en même temps qu'Izora. Il était comme sa maîtresse : il attendait la mort. Gina avait été obligée de se rendre à Lareine pour faire recoudre Judith par un médecin de garde mal luné. Celle-là, c'était Miss Catastrophe. Dès qu'un malheur se profilait, c'était pour Judith. Elle était née en 2004, le 2 novembre, jour des défunts.

Après Jean Rocasse, Gina s'était tenue tranquille un moment. Elle avait même pris des tisanes calmantes pour ne pas écouter son corps et son esprit lui demander un bébé. Il faut dire qu'elle commençait aussi à avoir des soucis avec Steeve et Mona. Hélas, jusque dans ses rêves, elle se voyait enceinte en train de descendre la Ravine claire à pied, portant son ventre à deux mains. Un jour, elle avait croisé la route de Raymond Sisal. Un chauffeur de camion. Il l'avait remarquée, attendant le car à l'arrêt Morne Bisiou. Il s'était arrêté. Elle était montée. Il avait des yeux verts. Sa peau était couleur de sapotille. Gina avait compris qu'elle ne saurait lui résister. Elle voulait un bébé aux yeux verts et à la peau sapotille. Elle voulait que ce bébé prenne tout de suite sa place dans son ventre.

Elle voulait le sentir en elle. Son nouveau bébé tant désiré... Raymond Sisal n'avait même pas eu le temps de connaître la Ravine claire. Est-ce que dans le ciel, il savait qu'il avait une fille avec Gina Bovoir ? Quand ils arrivèrent au quatre-chemins, Gina ouvrit ses cuisses et, sans préambule ni préliminaires, invita Raymond à goûter sa chair. Il n'attendait rien d'autre. Il était ravi de rencontrer une femme qui ne faisait pas de chichis et ne s'égarait pas dans un brouillamini de sentiments inutiles. Lorsqu'ils se séparèrent, chacun était léger, joyeux. Gina en songeant à son bébé aux yeux verts et Raymond parce qu'on lui avait toujours dit qu'il était malchanceux et, ce qui venait de lui arriver là, il appelait ça de la chance. Ils se saluèrent comme de bons amis. Calme et reconnaissante, Gina regarda le camion de Raymond disparaître dans le brasier du soleil couchant.

Deux mois plus tard, en feuilletant le journal sur le comptoir de la boutique de la Ravine claire où elle déposait parfois des gâteaux, Gina reconnut le camion rouge de Raymond Sisal. L'article disait que le chauffeur avait percuté et arraché une glissière de sécurité sur la route des Frangipaniers, à cinq kilomètres du bourg de Sainte-Anne. Le camion s'était écrasé comme un jouet au fond du ravin, trente mètres plus bas. C'était un regrettable accident qui ne s'expliquait pas... La route était droite, un seul véhicule était impliqué, il ne pleuvait même pas. Malheureusement le chauffeur n'avait pas survécu. L'auteur du papier déplorait ce nouveau drame de la route. La victime s'appelait Raymond Sisal. Père de quatre enfants, employé émérite, ce Guadeloupéen de quarante-cinq ans travaillait depuis vingt ans pour la même entreprise. Prudent de nature, il n'avait jamais eu le moindre accident, n'avait même jamais fait grève — de peur de se retrouver dans un mauvais combat.

Gina se rendit à l'enterrement de Raymond. C'était la moindre des choses. On enterrait le père de son prochain enfant. Sans mentionner son état, elle salua l'épouse qui confirma que Raymond était un homme bon, mais malchanceux dans la vie. Le 2 novembre 2004, Gina accoucha d'un bébé de sexe féminin qu'on prénomma Judith. Très vite, elle dut accepter le fait que la petite n'avait pas hérité les yeux verts de son père, seulement sa guigne.

À midi, Grand-mère Izora avait déjà pissé deux fois dans sa couche. On avait beau envoyer de l'eau, javelliser, brûler des bâtons d'encens, la chambre empestait la vieille femme incontinente. Tôt le matin, l'infirmière était bien passée pour la toilette et la tension, mais à la va-vite. En ce 31 décembre, elle remplaçait trois collègues en congé et devait visiter au moins quarante patients dans sa tournée. Elle souhaita une bonne fête de fin d'année à Grand-mère et ficha le camp sans se retourner, précisant qu'elle ne reviendrait pas pour les soins du soir.

Dans l'après-midi, éreintée par tous ces désagréments, Gina se coucha pour faire la sieste. Billy s'était endormi à ses côtés, mais il se réveilla avant elle, descendit du lit et chercha immédiatement une occupation nuisible. Farfouiller dans le sac de sa mère était une de ses lubies. Qui sait pourquoi ? Il se mit à déchirer tous les papiers de la CAF serrés là. Les filles suivaient une enquête d'Hercule Poirot à la télévision — *Le mystère des Cornouailles.* Junior se trouvait à Lareine chez sa marraine Olivia Cosmos qui était aussi la sœur de son père, le bref Teddy Cosmos.

C'était chaque année le même rituel en ce 31 décembre : Tatie Olivia venait chercher Junior en voiture à dix heures du matin. Ils déjeunaient ensemble au restaurant *Plaisir des Îles* que tenait une amie à Capesterre. Olivia lui donnait son cadeau de Noël au dessert, dans un paquet cadeau, et aussi un peu d'argent dans une enveloppe — un billet de vingt euros. Ensuite, ils passaient chez la grand-mère paternelle, Man Tina. Là, ils en profitaient pour téléphoner au père de Junior. La conversation durait près de vingt minutes, à cause du bégaiement. Junior récupérait une deuxième enveloppe et embrassait sa grand-mère. Enfin, Olivia ramenait son filleul et neveu à la Ravine claire, aux environs de cinq heures de l'après-midi. Pour des raisons inconnues, Olivia était en froid avec Gina. Alors, elle ne descendait jamais de voiture.

En entendant vrombir le moteur, les enfants se précipitèrent près du portillon, pour voir Junior descendre de son carrosse comme un prince des *Mille et Une Nuits.* Tous les ans, ils regardaient Olivia agiter la main et envoyer des baisers à Junior. Ils ne se lassaient pas de ce spectacle. Derrière la vitre de sa Twingo rouge, avec ses cheveux courts, Olivia ressemblait à Halle Berry. À chaque fois, on aurait dit que Junior venait de passer au moins un an à l'étranger tant il était distant, changé dans son comportement, dans sa condition, serrant dans ses bras son cadeau et au fond de sa poche ses précieuses enveloppes. Ils le reconnaissaient d'abord à son boitement. Et puis, quand il ouvrait la bouche, à son bégaiement...

Sans un mot, Junior traversa la salle et poussa la porte de la chambre de Gina. Il était tellement fier. Voulait montrer son cadeau à sa mère. Elle dormait. Il tomba sur Billy, assis par terre, en train de déchirer des papiers. Junior tenta de lui enlever le sac de force. Billy ne se laissa pas faire et se mit à crier. Se retournant sur son grand frère de dix ans, il lui attrapa un doigt avec ses quatre ou cinq dents de lait. Par réflexe, Junior lui balança un coup de poing en plein visage.

Réveillée en sursaut, Gina rassembla ses papiers déchirés, se disant qu'elle aurait voulu tous les voir disparaître. Et bon débarras ! Elle était lasse de sa vie, de ses enfants... Seule, et personne pour se décharger... Max était parti en France et qui sait s'il ne déciderait pas de rester vivre là-bas ?...

Gina considéra Junior avec dépit. Pourquoi tant de violence ? Quant à Billy, elle trouvait qu'il ressemblait de plus en plus à Steeve. Oui, il était bien parti pour faire un bandit de la même espèce. Lorsqu'il chercha ses bras, elle le ramassa, avec des gestes mécaniques. Espérant au moins qu'il n'avait pas le nez cassé, elle lui lava le visage. Puis elle le déposa au salon avec les enfants, et demanda à Sharon de le surveiller. Non, Gina n'avait pas la force de remonter voir un médecin au bourg de Lareine. Deux mioches blessés le même jour, ça risquait de paraître louche.

Elle avait toujours eu peur de se faire signaler aux services sociaux pour maltraitance. À la Ravine claire, plusieurs femmes avaient perdu leurs allocations et on avait placé les enfants dans des familles d'accueil, à cause de médisance et délation. Quand elle s'asseyait dans un box de la CAF, Gina s'appliquait à se tenir droite, à ne pas ployer sous le regard de la dame en poste de l'autre côté du bureau, armée de sa calculatrice, de son agrafeuse et de ses stylos à bille — ces instruments redoutables qui pouvaient vous faire bénéficier d'une somme rondelette ou bien vous supprimer d'un coup une rentrée d'argent. Pour toucher ses allocations, fallait remplir les dossiers, apporter des papiers, attestations de ceci, déclarations de cela, fiches individuelles et familiales, relevés d'identité bancaire... Gina Bovoir née le 4 mai 1972. Femme seule, parente isolée... trente-six ans en 2008. Sept enfants et la petite de ma fille que j'ai recueillie, Katy... Trois garçons et cinq filles de vingt et un à deux ans. Tous désirés. Et pourtant... « Où sont les pères ? » demandait la dame en la défiant du regard. « Partis », répondait Gina. « Non, ils n'ont pas reconnu leurs enfants. Aucun. J'ai perdu leur trace. Je ne sais pas où ils sont... Non j'ai pas leurs adresses. Certains sont peut-être morts... Est-ce que j'ai des projets ? Quelles sont mes compétences ? Eh ben, j'aimerais avoir une pâtisserie, faire des gâteaux, des pièces montées, gâteaux de mariage et de baptêmes... Mais c'est rien qu'un rêve... Non, pour l'instant, j'ai trop de travail avec les petits pour aller en formation... On verra plus tard, dans quelques années, quand ils seront grands... »

Parfois, elle avait l'impression d'être une mendiante. Alors, elle baissait les yeux et fouillait dans son sac à main pour se donner une contenance.

Gina était excédée.

Toute la journée de ce 31 décembre, la Ravine claire avait sursauté et hurlé au tintamarre des pétards. La ruelle avait été plus bruyante que de coutume. Les gens qui y passaient faisaient un tapage d'enfer. Criant et se hélant sans vergogne, ils n'en avaient rien à ficher qu'une vieille Izora fatiguée cherche la paix du sommeil en dedans de la case. Gina les connaissait de A à Z. La plupart étaient de tristes zouaves, des brindezingues amoureux de la boisson et trop contents d'avoir une occasion de boire sans soif. À six heures du soir, ils étaient déjà ivres et se marchaient les uns sur les autres en beuglant que c'en était bientôt fini des misères de 2008. Ici et là, des hommes chantaient en cognant sur des tambours. L'un d'eux racontait l'histoire d'un bougre débandé — le cœur brisé — par la faute d'une chabine dorée. Le pauvre nègre avait trouvé sa femme scélérate dans les bras de son meilleur ami. Depuis ce jour, cassé en sept cents morceaux et quelques miettes, il déboulait de bar à rhum en buvette marronne, narrant sa déveine contre un punch sucre-citron et prêchant l'abstinence comme un chemin de liberté pour tous les hommes du XXIe siècle. Les chants de gwo-ka rivalisaient avec des sonos poussées à fond qui crachaient toutes des musiques inventées par les Noirs d'ici et d'ailleurs : zouk, reggae, soul, dancehall, calypso, compas, r'nb...

« Non, on fête pas 2009 ! Et je ferai pas de gâteau... J'ai plus ni farine ni œufs et j'ai donné mon argent au docteur pour qu'il arrange et recouse la figure de Judith. Combien de fois je dois vous le répéter ? lança-t-elle à Perle qui — avec son nez large, son front démesuré et sa lèvre inférieure pendante — était le portrait craché de la mère de Jean Rocasse. À bientôt neuf ans, Perle en paraissait déjà douze et pesait cinquante-deux kilos. Elle faisait partie de cette génération de gros enfants qui passaient le temps à engouffrer du gras, du salé et du sucré.

Le midi, Gina avait préparé un colombo d'ailes de dinde avec du riz blanc. Quatre grosses ailes coupées en deux pour huit. D'accord, c'était pas gras, mais tout le monde avait eu sa platée de riz et son morceau de viande. Huit personnes et un chien — Bozonégro — avaient déjeuné grâce à ces belles ailes que Phillys avait apportées bien congelées le dimanche d'avant.

Perle se tenait devant elle, les mains sur le côté. Une petite boulotte avec un double-menton. Qu'est-ce qui lui avait pris de s'amouracher de Jean Rocasse ? Elle n'avait aucune affection pour cette enfant-là.

« J'ai faim ! Je veux manger quelque chose... Pourquoi tu veux pas faire un gâteau ? Pourquoi y a rien dans le frigo ?

— Ben oui, qu'est-ce que tu veux que je te dise, le frigo est vide. Si t'as soif, tu bois de l'eau. Si t'as faim, tu te prends un morceau de pain avec une banane. Tout à l'heure, je ferai une crème de maïs... »

Perle ouvrit de grands yeux.

« Oui, c'est le dîner du 31 décembre. Une crème de maïs à l'eau... De toute façon, même si j'avais voulu faire quelque chose de spécial, j'aurais pas pu, j'ai pas de sous... Je peux même pas vous payer un *Champomy* à la pêche... J'ai claqué toutes mes allocs à Noël...

— Et pourquoi à l'eau ?

— Parce qu'on garde le lait qu'y a pour le petit déjeuner du 1er de l'an...

— Et pourquoi tu demandes pas de l'argent à Tonton Max ? s'écria Perle.

— Il est pas là ! Tu sais bien qu'il est parti en France pour un travail. T'as pas entendu quand il a dit qu'il reviendra pas avant le mois de mars ? Il aide sa belle-sœur et son frère Bertin à bâtir leur maison à Issy-les-Moulineaux, tu te rappelles pas ?

— Et pourquoi tu lui demandes pas de t'envoyer de l'argent ?

— T'arrêtes Perle ! Je sais ce que j'ai à faire...

— Eh ben ! Demande à mon papa ! » Et sur ces mots, elle se mit à trépigner, crier et pleurer tout en sautant sur place comme si elle était montée sur un ressort.

« Depuis quand tu l'as pas vu, ton père ? fit Gina.

— Je veux mon papa, je veux mon papa ! répondit Perle en tapant du pied.

— Arrête, Perle ! » souffla Sharon tandis que Gina hurlait déjà, menaçant d'aller chercher une ceinture. Perle ravala ses larmes et chuchota qu'elle avait tellement faim qu'elle voulait fuguer pour aller vivre chez son papa.

Quand les enfants eurent fini de manger la crème de maïs, ils regardèrent un peu la télé, assis et allongés pêle-mêle. Trois sur le sofa du salon qui servait de lit à Sharon. Les autres par terre, tête-bêche. Vers les dix heures du soir, Gina ferma ses portes et envoya tout le monde se coucher. La moitié des petits étaient déjà endormis dans des positions inattendues, comme s'ils avaient été pris d'un coup dans les filets d'un grand sommeil. Sharon emporta tour à tour Judith et Katy dans la chambre des enfants. Les jeta sur les couches aux matelas ramollis. La pièce mesurait neuf mètres carrés et ils y dormaient à cinq, sur une paire de lits superposés que Gina avait achetée chez *Conforama* et payée en dix fois sans frais. Il y avait le côté des filles — réservé à Perle, Judith et Katy, la petite de Mona. Et celui des garçons qu'occupaient Junior et — depuis peu — Billy, derrière sa barrière de protection.

Voilà, se dit Gina en rentrant dans ses draps, on ne peut rien y faire, les années passent à toute vitesse.

Demain on sera en 2009, soupira-t-elle en se caressant le ventre.

Et déjà trente-sept ans sur cette maudite terre.

Deux ans et trois mois que Viviane était partie. À quoi ressemblait-elle à présent ? Un tas d'os blanchis. Un vilain squelette revêtu d'une robe rose à moitié piquée par les vers. Non, il n'y avait rien à fêter. On ne fête pas les regrets et les deuils, se dit-elle... S'il y avait moyen de tout recommencer... Revenir des années en arrière... Sauver Vivi... Ramener Steeve sur le droit chemin... Rattraper Mona avant qu'elle tombe au fond du gouffre... Redonner une jambe neuve à Junior... Effacer tous ses enfants... sauf le dernier à venir...

Un jour, il y avait peut-être quatre ou cinq ans, Sharon avait rapporté un livre de l'école primaire. *Le Petit Poucet...* En mots et images colorées, les pages racontaient l'histoire d'une famille de pauvres gens. Ils avaient mis des enfants au monde mais ne parvenaient pas à subvenir à leurs besoins. Alors, ils les avaient emmenés en promenade. En vérité, ils voulaient s'en débarrasser, les perdre dans une forêt plus inextricable que l'Amazonie. Sans autre forme de procès, les donner en pâture aux bêtes féroces qui se tenaient à l'affût dans les grands bois en attendant de les dévorer tout crus. La voix tremblante, Sharon avait demandé à sa mère si cette histoire pouvait survenir en Guadeloupe. Gina n'avait su que répondre.

En ce dernier jour de l'année 2008, Gina songea à ces gens-là lorsqu'elle s'endormit seule dans son lit.

Seule, avec son secret : son nouveau bébé de cinq mois dans le ventre.

VII

Au petit matin, le vacarme s'était presque éteint dans la rue. Çà et là, on entendait encore le babillage de bougres saouls qui regagnaient leur logis à quatre pattes, l'estomac à l'envers. Un juron, un cri, une gueulante fusaient de façon sporadique. Deux, trois autos ivres zigzaguaient au bas de la rue Saint-John Perse. Et comme si le reste du monde n'existait pas, un couple enlacé rentrait au bercail en fredonnant le couplet d'une chanson de Mickhael Jackson...

Billie Jean is not my lover
She's just a girl who claims that I am the one
But the kid is not my son
She says I am the one,
But the kid is not my son,
No, no, no...

Finalement, vers les sept heures, les premiers rais du soleil semblaient avoir eu raison des derniers zombies qui erraient encore dans les ruelles de la Ravine claire. Il faisait déjà très chaud dans la case. La tôle chauffait et renvoyait une chaleur qui, ailleurs, aurait découragé les plus entreprenants.

« Douze ans ! murmura Sharon, toute surprise et gonflée d'une subite fierté pour sa propre personne. J'aurai douze ans dans vingt jours.

— Tu es grande maintenant et ta mère ne voudra bientôt plus de toi. Tu as vu, elle attend encore un bébé. Elle trouvera le moyen de te faire partir, de te jeter à la rue... comme Steeve, comme Mona... C'est toi la prochaine... », souffla son reflet dans le miroir de la salle de bains.

Elle sourit pour chasser la même angoisse qui l'envahissait tôt, chaque jour, et murmura : « Je m'appelle Sharon Bovoir... J'ai douze ans et j'habite au 18 de la rue Félix Éboué à la Ravine claire. Si je me perds quelque part, je dois me souvenir de mon nom, de mon adresse... »

Et elle se regarda avec plus d'intensité, afin de mémoriser également son visage, son corps, la couleur café clair de sa peau... Une grande fille nue qui commençait à avoir des poils au pubis et se voûtait pour cacher ses tétons naissants qu'elle tâtait régulièrement. Ils étaient surprenants. Aussi petits et durs que des noix de muscade, ils promettaient de grossir et d'emplir bientôt des soutiens-gorge de femme. Sharon se tenait les bras ballants. Ses genoux étaient marqués de laides cicatrices. L'esprit partagé entre anxiété et impatience, elle scrutait chaque matin entre ses cuisses, espérant voir s'écouler le premier filet de sang. Il lui tardait aussi d'avoir ce mal au ventre des vingt-huit jours. La plupart des filles de sa classe avaient déjà leurs menstrues. Dès que ça leur arrivait, elles se prenaient pour des créatures. Leur démarche changeait. Elles roulaient des fesses et attendaient avec fébrilité de perdre leur virginité. À les entendre, celles qui n'étaient pas encore réglées étaient des demeurées. Quant à ces autres de douze ou treize ans qui se vantaient d'avoir eu des relations sexuelles, on avait l'impression qu'elles avaient grimpé au sommet du Kilimandjaro ou bien qu'elles venaient de battre un record du monde et s'étaient transformées en Marie-José Pérec — fallait alors les aborder comme des athlètes de haut niveau. Sharon se fichait pas mal de ce que les autres pensaient et racontaient à son sujet. Elle n'avait qu'une amie : Betsy Brown, et fuyait tous les garçons de la Ravine claire et de son collège. Non, elle n'avait pas d'amoureux. Et elle se l'était juré, plus grande, elle n'aurait jamais d'enfants. Pas un seul. Elle mènerait une vie de célibataire, dans son appartement, en Amérique, à New York ou à Washington... Et si elle n'arrivait pas à habiter en Amérique. Elle chercherait un endroit sur la terre où l'on parlait anglais... Un endroit où son prénom...

Avec ce corps maigre qui promettait d'être allongé, Grand-mère Izora affirmait que Sharon ressemblait beaucoup à son père, le rasta Kounta Kinté, parti faire fortune au Burkina.

Sharon savait très peu de chose de son papa rasta. De son vrai nom, il s'appelait Stéphane Rodrigue. Gina l'avait connu lors de l'unique édition du Festival Soul & Reggae organisé par la ville de Lareine en 1996. Kounta était né et avait grandi à Basse-Terre mais se présentait comme un Africain victime d'une déportation. Rasta depuis l'âge de quinze ans, il approchait les trente-six ans à ce moment-là. Ceux qui le connaissaient intimement rapportaient qu'il avait toujours manifesté une passion enfantine pour l'Afrique, dans ses jeux, ses rêves, ses peintures. Avec d'autres, il tenait un stand d'artisanat roots sous un chapiteau. Artiste polyvalent, Kounta peignait ses visions africaines un brin psychédélique sur de grandes toiles de jute. Il travaillait aussi la calebasse et la noix de coco et, sur son étal *ital* recouvert de feuilles de bananier séchées, on pouvait admirer *kwis* et bijoux finement gravés, lampes, sacs et bols bien colorés.

Sharon était née le 21 janvier 1997 et Kounta avait quitté la Guadeloupe en mai 2000.

Dans l'album-photos de Gina, il y avait le visage de ce père absent. Sur le cliché raté, ses yeux étaient rouges et son air ahuri. Gina disait qu'il fallait faire avec. Mis à part Sharon et un bracelet en noix de coco cassé, c'était l'unique souvenir qui subsistait de sa relation avec Kounta. Pour consoler sa fille, Gina racontait qu'il avait été un papa attentionné tout le temps qu'il avait vécu en Guadeloupe. Il descendait à la Ravine claire au moins une fois par semaine. Il confectionnait des jouets de bois, charrette, poupette, trottinette, et consacrait des après-midi entières à sa fille, inventant pour elle des histoires extraordinaires qui se passaient dans la savane africaine, avec toute la smala des animaux sauvages : lions, zèbres, panthères, singes et éléphants. Que faisait-il encore ? Il portait Sharon sur ses épaules, lui donnait à manger, la câlinait. Selon Gina, c'était aussi Kounta qui lui avait trouvé son surnom : Ti-Sha...

Parfois, écoutant ces récits avec ravissement, Sharon se demandait si sa vie aurait été différente si Kounta Kinté était resté en Guadeloupe, s'il l'avait reconnue et emmenée avec lui, loin, très loin des ruelles désolées de la Ravine claire. Pour ses dix ans, il lui avait envoyé une carte postale d'Afrique. *Joyeux anniversaire ! Ti-Sha, faut que tu saches que ton papa t'oublie pas. Signé : Kounta Kinté.* Lorsqu'elle l'avait reçue, Sharon aurait bien voulu répondre, demander à son père un billet d'avion pour le Burkina. Mais il n'avait pas noté son adresse. « Il t'écrira pour tes vingt ans ! » avait ricané Mona.

Sharon prit sa douche en vitesse. Première douche de cette année 2009. Elle ne voulait pas entendre encore une fois Gina lui crier qu'elle gaspillait l'eau et n'avait pas un père qui travaillait à la Régie des Eaux de la Guadeloupe. Puis, elle se brossa les dents, se souvenant que c'était Mona qui l'avait éduquée sur son hygiène bucco-dentaire. « Sharon, tu dois te laver la bouche et te brosser les dents au moins deux fois par jour. Et faut pas manger des bonbons le soir, t'as compris. Les dents, on les a pour la vie. Regarde les miennes comme elles sont belles! C'est ton trésor. Si tu les laisses pourrir et se carier, tu devras porter un dentier comme celui de Grand-mère, et il faudra que tu le mettes dans un verre tous les soirs quand tu iras te coucher... T'as déjà vu Grand-mère sans son dentier? Sa bouche ressemble à ta vieille bouée rose et noire quand elle est à moitié dégonflée. Et tu sais, pendant qu'elle dort, tous les édentés de la nuit viennent l'un après l'autre essayer le dentier de Grand-mère... Je te jure, ils défilent... On les voit si on se réveille à minuit pile. Y a des hommes, des femmes qui ne sont pas beaux à regarder... Y en a de toutes sortes, des esprits en divagation, des morts-vivants à la peau bleue, des zombies tombés de la dernière pluie, des démons sans chemise ni pantalon, des soukougnans à bicyclette et des revenants recouverts d'écailles, de vieilles croûtes de sang... »

Mona avait toujours aimé terroriser ses petites sœurs. C'était son plaisir. Voir leurs visages se décomposer au fur et à mesure qu'elle débitait ses contes la faisait jubiler et l'excitait terriblement. Quand elle se mit à consommer du cannabis, Mona retrouva ces mêmes sensations. Mais fumer sa drogue décuplait cette jubilation, la doublait d'une impression de toute-puissance. Du jour au lendemain, elle crut posséder une vision claire du monde. Avait la certitude de détenir la Vérité. De communiquer par télépathie avec les forces créatrices de l'univers, de recevoir et décoder des messages célestes. À un moment, elle fut convaincue d'appartenir à une caste d'élus disséminés sur la planète. Lorsqu'elle passa au crack, Mona imagina qu'elle accédait à un stade supérieur de la Connaissance. Au début, c'était un vertige extraordinaire. Gagnée par l'euphorie et un sentiment de supériorité, elle méprisait les gens ordinaires et dénigrait leur mode de vie. Elle les appelait : les moutons noirs. Un jour, elle se vit en lévitation. Une autre fois, elle raconta en secret à Sharon que son âme venait d'effectuer un voyage interstellaire. Pourvue de deux belles ailes blanches, l'âme de Mona avait — selon elle — percé sept couches de nuages avant d'atteindre une étoile. Là, elle s'était posée sans souffrance et on lui avait confié une mission... Non, le corps de Mona n'avait pas quitté la terre lors de cette escapade. Il était resté immobile, accroupi au milieu des autres qui se passaient des pipes et des joints et dont les visages disparaissaient et se transformaient et grimaçaient dans la pénombre épaissie par une âcre fumée. D'après Mona, son corps avait été maintenu en place par son squelette qui lui était apparu semblable à la charpente d'une maison vide, inachevée, inhabitée. Et Mona jura qu'elle n'avait ressenti ni douleur ni frisson quand son âme s'était arrachée de son ossature pour déployer ses ailes et s'envoler vers les hauteurs. Elle avait seulement vu chacun de ses os en suspens dans les airs, flottant comme les bouts de bois d'un mobile, reliés entre eux par des fils invisibles et si précieux dans leur fragilité. Elle avait attendu le retour de son âme, statique, le regard fixe.

Cette posture d'initié ne dura guère. Après avoir atteint les sommets, éprouvé la plénitude du nirvana et parcouru le royaume des Cieux, Mona ne parvint plus à s'élever. Bien au contraire. Plombée au sol, elle avait perdu tous ses pouvoirs. Son fluide lui avait été d'un coup retiré et ses ailes s'étaient — semble-t-il — cassées. Fumer ne la faisait plus voyager qu'au tréfonds de gouffres et cavernes, de geôles et caves aux murs recouverts de vieux tags et de salpêtre où logeait une vermine innommable. Littéralement, son corps emprisonnait son âme. Elle avait parfois le sentiment d'être une morte-vivante en visite sur la terre, une marionnette de carton et papier, un être de chair meurtrie et sang vicié. En des temps-parenthèses assez angoissants, son corps et son esprit se séparaient. Chacun partait de son côté et elle caressait l'espoir de s'envoler encore une fois. Mais ce n'était qu'une illusion, un genre de mauvaise blague. On la démembrait, on l'étripait. Des mains pourvues de longs doigts arthritiques la dépeçaient. Alors, elle tentait de s'accrocher à la réalité. Elle pensait très fort à Katy. Elle songeait au jour où la petite était sortie de ses entrailles. Un ange. Mais cette image éphémère était sitôt remplacée par une autre, infernale.

Avec ses yeux noirs qui regardaient dans des directions différentes, Katy lui apparaissait être une créature maléfique qui annonçait le Chaos. Selon Mona, sa fille incarnait la fin de toute espérance. « Cette terre Guadeloupe sera jusqu'aux derniers temps écartelée entre Bien et Mal. Voilà la vérité, Sharon. » Sans compter que Mona faisait des cauchemars en plein jour. Bien éveillée, elle rampait sur le sol, poursuivie par des ombres. Quand cela allait vraiment mal, des créatures démoniaques fondaient sur elle et l'engloutissaient. Elle hurlait. Le seul moyen de leur échapper était de fumer à nouveau. Fumer pour s'engourdir, se tranquilliser, calmer ses angoisses. Elle partait au coin de la rue et ramenait son butin. Traversait la maison, le dos voûté. Gina secouait la tête et détournait les yeux. Et Mona s'isolait dans la cour un petit moment. Et elle jurait toujours que c'était la dernière pipe et qu'on ne l'y reprendrait plus. Oui, elle le reconnaissait parfois, cela faisait longtemps qu'elle cavalait derrière le souvenir de quelque chose d'inaccessible. Une sorte de paradis perdu au-delà d'un fond de ciel noir.

« Oui, Sharon, je vais arrêter. J'ai compris. Te tracasse pas, Ti-Sha... Tu verras... C'est la dernière fois que je me salis avec ce poison... Devine ce qu'on fera quand je me sortirai de là ? »

Et Sharon ne disait rien parce qu'elle ne trouvait pas de réponse. Elle pensait seulement que sa mère et sa sœur étaient fabriquées dans la même pâte, que les mots qui sortaient de leurs bouches ne valaient rien. Leurs promesses étaient belles et peu solides comme les souliers en faux cuir exposés derrière les vitrines du magasin *Chaussures de Paris, qualité supérieure.*

Voilà comment Sharon perdit le sommeil. Avec les histoires zombiesques que racontait Mona. Lorsque Sharon se couchait le soir, elle était seule dans la salle principale, allongée sur le sofa.

Dans la case, il y avait trois chambres. L'une était occupée par Gina, l'autre par les enfants couchés sur leurs lits superposés et la troisième par Grand-mère Izora. Sharon ne s'endormait pas facilement. Les autos qui passaient dans la rue semblaient débouler dans la cuisine et le salon sans même ralentir. La lumière de leurs phares entrait par les trous des planches. La nuit durant, Sharon avait l'impression que le faisceau de grosses lampes-torches balayait les cloisons, à la recherche d'un criminel en fuite. Parfois, les souris donnaient un bal. Elles grattaient et déchiquetaient. Elles grignotaient, rognaient, rongeaient... Pendant ce temps-là, Sharon se tournait et se retournait sur son petit lit. Si elle ouvrait les yeux dans la pénombre, elle voyait des ombres danser sur les murs et gesticuler au plafond.

Mais tout cela est fini, se dit-elle, chassant ces macabres visions. On est en 2009.

De l'autre côté de la cloison, les enfants dormaient encore, d'un sommeil d'ange. Depuis que Steeve et Mona n'étaient plus là, Sharon était à présent l'aînée, celle qui aurait pu se mettre à raconter des histoires idiotes pour faire peur à ses petits frères et sœurs.

Ils grandissaient à vue d'œil
Tous les bébés de Gina
Trop impatients de quitter l'enfance
Pressés de se perdre dans le monde
Pressés de vendre leur corps
Pressés de brader leur âme
Pressés d'aller fréquenter la mort
Se frotter à elle
Se fier à elle
Après Sharon il en restait maintenant quatre
Junior
Perle
Judith
Billy
Gina ne le savait pas encore mais elle allait tous les perdre
L'un après l'autre
Chacun son tour
C'était écrit
Vendu perdu vendu perdu vendu perdu
Vendu un jour perdu toujours
Vendu perdu vendu perdu vendu perdu
Jusqu'au dernier
Pardon
Jusqu'au dernier

VIII

Seize mois auparavant, à l'hôpital, Gina avait promis que Billy serait le dernier. Elle avait supplié Sharon de la croire. Elle avait dit : « Je te jure, j'ai même pas fait exprès cette fois... »

Le merveilleux Billy, le poupon adoré du mois d'août 2007, n'était déjà plus un gentil bébé. Sharon se souvenait à peine du visage du petit monstre qu'elle avait dû embrasser à la maternité. En revanche, elle se rappelait très bien avoir souhaité la mort de sa mère. Pour qu'elle arrête de faire des enfants. Malgré ses prières appuyées, Gina n'était pas morte. Elle n'était pas allée rejoindre Tatie Vivi dans le royaume des Cieux, là même où les esprits se réunissaient avant de redescendre sur terre.

En avril 2008, un an après l'arrestation de Steeve, la gorge serrée, Sharon avait demandé à sa mère si elle gardait encore une place dans son cœur pour son fils aîné, même s'il avait braqué une station-service et qu'il venait d'être condamné à passer huit années à la prison de Baie-Mahault. Gina avait détourné les yeux et répondu qu'elle ne voulait pas s'attacher au passé.

« Non, personne ne pourra plus sauver Steeve. Qu'est-ce que tu veux, Ti-Sha, c'est trop tard... Il s'est perdu... » asséna-t-elle.

Sharon répéta les mots de sa mère et, à mi-voix, compléta sa phrase :

« ... perdu dans la forêt.

— Non, Je veux pas gâcher ma joie avec Steeve. Je peux plus rien pour lui... Tu te rends compte qu'il était prêt à me battre... S'il était resté, je te jure, il aurait fini par me tuer... Non, faut pas blâmer une contrariété... Et je n'ai pas non plus envie de pleurer le restant de mon existence sur la jumpie de mangrove qu'est devenue Mona... Elle a choisi... Je ne peux plus rien faire pour elle... Mais à quoi bon ressasser les malheurs... Ces deux-là sont perdus à jamais, Ti-Sha...

— Perdus à jamais dans la forêt... » murmura Sharon en frissonnant.

Et, serrant son bébé Billy dans ses bras, Gina continuait à déblatérer sans prêter attention aux propos de sa fille. Non, elle n'était pas responsable du destin de ses enfants. Ce n'était pas elle qui les emmenait se perdre, ils s'engageaient d'eux-mêmes dans ces chemins de perdition... C'était leur choix... Oui, comme Vivi avait choisi sa mort...

Où était Vivi ? se demanda Sharon, chassant du même coup les images de geôle noire et de mangrove infestée de maringouins, mille-pattes, mabouyas, jumpies et crabes à barbe.

Pauvre Tatie, près de deux ans et demi qu'elle s'était envolée... S'était-elle déjà posée quelque part sur la terre, pour vivre une nouvelle existence ?

Où se trouvait Mona en ce premier janvier de l'année 2009 ?

Était-elle encore en vie ?

Quatre mois plus tôt, Mona était passée à la maison. Se cachait de quelqu'un ou de quelque chose. Peut-être d'elle-même...

C'était septembre, la rentrée des classes.

À voir son état délabré, on se demandait comment elle avait fait pour retrouver le chemin de la Ravine claire.

Campée sur le pas de la porte, enragée comme une manman-congre, Gina lui demanda si elle n'avait pas une infection qui risquait de contaminer ses enfants et qu'elle ferait mieux d'aller se faire soigner à l'hôpital avant de se ramener à la maison. Mona se mit à rire et son rire s'emballa dans une furieuse quinte de toux. Bien obligée de cracher ce qui encombrait sa bouche au pied du pauvre hibiscus dont les fleurs roses éclataient sur le mur de la case. Elle finit par répondre que c'était rien de méchant. Des piqûres de moustiques : « Des souvenirs de guerre. Y en avait des milliards dans la mangrove... On était sur leur territoire... Le soir, ils nous chargeaient... Des escadrons, des raids d'enfer... Je vis plus là. Maintenant je suis à

Pointe-à-Pitre, dans une grande maison... Et, je suis venue pour Katy, pour sa rentrée des classes... »

Elle resta planquée une semaine, à l'abri des cyclones et autres démons qui la poursuivaient, essayant mollement de faire croire qu'elle en avait terminé avec la drogue. Personne n'était dupe. Cachés dans un parpaing, Junior trouva des feuilles de papier alu, un bout de tuyau et une cannette écrasée : tout l'attirail du jumpie. Quant à Sharon, elle surprit sa grande sœur au moins deux fois à fumer une pipe de crack au fond de la cour, les yeux fixes et exorbités. Mona avait tellement changé. D'une maigreur pitoyable sous ses tatouages et ses vêtements crasseux, elle avait la tête rasée d'une qui a attrapé des poux. Ses bras et ses jambes étaient recouverts de taches sombres, de vieux bobos à croûtes et pus que ses longues mains se mettaient à gratter et racler mécaniquement comme si elles n'étaient pas commandées par son cerveau mais mues par un moteur électrique.

Et ses dents ! Elle en avait perdu deux dans les combats. Une de ses incisives était cassée et faisait une pointe biscornue. L'émail de ses belles dents avait viré au caca d'oie et Mona ne donnait plus de leçon d'hygiène à quiconque. Dans la salle de bains, elle s'essuyait avec n'importe quelle serviette et se curait les dents avec la brosse qui lui tombait sous la main. Elle ne nettoyait jamais le bac à douche : ses poils et sa crasse attendaient celui qui passait après elle. Et ce n'était pas la peine de râler, lui prendre la tête avec ces questions anodines, ces peccadilles. Mona n'était plus en mesure de les entendre. Son corps — même si décati — était là, visible, palpable, mais son esprit flottait le plus souvent dans une autre dimension. Ses cinq sens étaient complètement perturbés. En permanence, elle s'échinait à donner le change, mais on comprenait bien qu'elle ne percevait plus les choses et les êtres d'une manière ordinaire. Et ce triste état semblait irréversible. Oui, elle reniflait des odeurs imaginaires, entendait des carillons de chimères, et voyait le monde alentour plongé dans un marasme sans espoir.

Lorsque Mona apparut dans sa chambre de manière inopinée, Grand-mère crut sa dernière heure arrivée. On entendit ses hurlements jusqu'à la boutique de la Ravine claire. Et dans la cour, tout perclus de rhumatismes, le vieux Bozo qui se prenait toujours pour un chien de garde se dressa sur ses pattes avant et se mit à aboyer comme s'il avait lui aussi vu un fantôme. D'après Izora, elle n'avait pas reconnu Mona. Celle-là avait une tête de déterrée et ressemblait trait pour trait à la femme zombie qu'elle avait croisée dans son jeune temps, cinquante-cinq ans plus tôt.

Sharon trouva sa sœur aînée penchée au-dessus du lit de Grand-mère, le regard extatique, les mains soudées aux barreaux du lit médicalisé. Et elle répétait d'une voix monocorde : « Dieu vous voit. Dieu vous voit. Dieu vous voit... » Il fallut lui donner des coups de règle en fer sur les doigts pour l'obliger à lâcher prise. Oui, ce jour-là, Grand-mère pensa vraiment que la mort venait la chercher. Et, croyez-le ou non, elle n'était plus si impatiente de passer de vie à trépas. En final de compte, cette frayeur lui fit du bien. Le lendemain de cet incident, elle était gaillarde et demanda à sortir du lit. Après sa toilette du matin, elle alla elle-même donner sa pâtée à Bozo. Et puis, on la posa dans sa berceuse, dessous la véranda. Elle y resta jusqu'à cinq heures de l'après-midi, veillant les gens, guettant la route d'un œil inquiet. Le surlendemain, elle fit de même. Et c'est ainsi qu'elle recommença à se lever toute seule, à marcher un peu avec sa canne, escortée par les enfants comme un chef d'État, saluant les uns et les autres, découvrant au fur et à mesure les alentours du 18 de la rue Félix-Éboué.

La journée, au lieu de s'occuper dans la maison, Mona dormait sur le lit de Sharon ; la nuit, elle déambulait dans la Ravine claire — « À la re-re-recherche de son ca-ca-carburant... » disait Junior.

C'était septembre. Katy entrait en petite section de maternelle. Mona avait promis d'accompagner sa fille — au moins le premier jour d'école. Las, impossible de la réveiller ce matin-là. Rentrée à cinq heures, elle s'était affalée sur la couche à côté de Sharon. Elle puait le rhum et le tabac froid. Plantée près de sa mère endormie, revêtue de son bel uniforme taillé dans une toile de Vichy rose, Katy pleurnichait bruyamment et ses yeux s'affolaient.

Tout le monde s'en fichait dans la case.

Chacun poursuivait ses démons, répétait ses rituels, jouait sa partition.

Les cheveux embroussaillés, armée d'un ceinturon, Gina courait derrière Bozo en hurlant. Le chien de Grand-mère aboyait à la mort et détalait pour échapper aux coups. Ce couillon avait encore une fois fouillé dans la poubelle et exhumé des couches-culottes souillées qu'il avait ramenées dessous la véranda. Pour ajouter au tintamarre, Billy hurlait, réclamant à téter, et ses cris emplissaient la case, couvrant la voix de l'animateur radio qui faisait la réclame d'une marque de yaourt au goût bulgare. Assis seul sur les trois marches de l'entrée, on apercevait Junior par la porte ouverte. Le visage fermé, tendu comme un homme qui s'en va gagner son pain quotidien, il buvait un café fort en regardant la rue. À bientôt dix ans, il entrait en sixième et Gina avait été incapable de lui acheter les tennis Nike qu'il avait demandées. S'il n'avait pas déjà traversé tant d'épreuves, Junior aurait peut-être pu pleurer de rage et supplier sa mère de lui donner ce qu'il désirait.

Seulement, cela faisait longtemps qu'il avait renoncé à pleurer. Depuis le jour où il avait vu les gendarmes emmener son frère Steeve. Le traîner dans les rues de la Ravine claire comme un vieux chien, lui qu'on appelait le Boss et dont il était si fier. Junior n'avait que huit ans cette année-là — 2007 —, mais le Boss lui confiait déjà des jobs réservés d'ordinaire à des grands de treize à quinze ans : Assurer la livraison des enveloppes et des précieux paquets d'herbe par-ci, par-là. Faire le guet au coin de la rue Saint-John Perse. Surveiller les allées et venues d'untel et unetelle sans qu'ils se méfient... En ce temps-là, tout était différent. Parce qu'il était le jeune frère du Boss, on respectait Junior à la Ravine claire.

Oui, en avril de l'année 2007, quand Steeve tomba aux mains de la loi, Junior ne put retenir ses larmes. Il alla jeter son corps dans la cour et, recroquevillé derrière une vieille tôle piquée de clous rouillés, il pleura des heures, jusqu'à se vider de toutes les eaux qui dormaient en lui. Ce jour-là, sans prendre des rides ou des cheveux blancs, Junior vieillit d'un coup. Mais au lendemain de l'arrestation de Steeve, il parvint à se relever et tenta de se positionner en chef parmi les jeunes chiens qui montraient leurs crocs dans la rue. Las, les négros de Gwada se battaient déjà pour s'emparer de la place laissée vacante. Deux mois plus tard, à cause d'un prétendu mauvais regard, Junior prit une balle dans le genou. Il s'effondra dans la même fraction de seconde, comme si un crocodile avait surgi du bas-côté de la route pour lui arracher une jambe. Les dents serrées, Junior regarda sans une plainte la tache de sang s'élargir sur son bermuda écossais et dégoutter le long de son mollet. Il avait l'impression d'être un vieux soldat d'au moins trente-cinq ans, terrassé dans une de ces guerres imbéciles. Alors il ferma les yeux pour sommeiller et mourir, le nez dans les herbes sauvages et la boue. Non, Junior ne versa pas une seule larme. Transporté à l'hôpital en urgence et interrogé par la police, il ne dénonça pas Wilfrid, le *bad boy* qui avait saccagé sa jeunesse. Pourtant, il le connaissait bien. Eliott, son petit frère, avait été en classe de CE1 avec Junior. Leur maîtresse d'école s'appelait Mlle Coridon. Wilfrid accompagnait son cadet chaque jour jusqu'au portail de l'école primaire. Eliott et Junior n'étaient pas ennemis à cette époque-là. Ils zyeutaient avec le même appétit les gros tétés de Mlle Coridon. Ils rêvaient de devenir footballeurs professionnels et couraient après le même ballon. Quant à Wilfrid, personne n'aurait pu prédire qu'il allait se transformer en gros makanda du trafic de drogue moins d'une année plus tard. Bref, avant d'être débarqué par ce coup de fusil, Junior avait déjà été interpellé sur la savane et mis en garde par d'anciens lieutenants de Steeve qui cherchaient un prétexte pour changer de camp. Junior n'avait pas mesuré le danger. Il avait souri, croyant que le Boss était irremplaçable et continuerait de mener ses affaires et diriger ses hommes depuis sa cellule. Ça se passait toujours comme ça à la télé, dans les séries américaines. Mais un nouveau gang était apparu à l'intersection de la rue Léon-Gontrand Damas et Guy Tirolien. C'était leur quartier général. Ils se retrouvaient là à vingt, peut-être même trente, tous les soirs. À leur tête, il y avait un certain Hunt Man. Un négropolitain sorti du 9-3, et qui se targuait d'être craint aussi bien à Paris qu'à Marseille. Hunt Man habitait maintenant chez sa tante, rue Saint-John Perse, une pacotilleuse à la retraite qui continuait à commercer en douce avec Miami, Caracas et San Juan. D'aucuns disaient qu'Hunt Man était venu se mettre au vert en Guadeloupe, mais son ambition affichée était de gérer toute la Ravine claire, d'étendre son territoire à sa périphérie et même au-delà comme un genre de Bonaparte... On disait qu'il avait des vues sur le château de Dolly Mercéris. C'était là qu'il se voyait vivre, dans un palais à sa mesure situé au cœur du ghetto. La maison était fermée depuis plus d'une année, mais Dolly ne voulait ni la vendre ni la louer.

À travers Junior, on avait cherché à atteindre Steeve et sa clique. Leur envoyer un avertissement... Le message était clair.

En juillet 2007, à sa sortie de l'hôpital, Junior boitait et bégayait. Pas moyen de revenir en arrière. Désormais, il boiterait jusqu'à sa mort. Cette démarche claudicante serait son signe particulier. Gina le regarda avec dépit, comme si on lui avait rendu une poupée cassée qu'elle ne pourrait plus jamais aimer. Et, de ce jour, elle prit l'habitude d'éviter de poser trop longtemps les yeux sur lui. Et, s'il avait pu disparaître complètement de sa vue, elle ne s'en serait pas portée plus mal.

« Moi, je peux plus le voir aller et venir avec sa jambe raide... Je peux plus l'entendre bégayer, il me fait mal aux oreilles... », confia-t-elle un après-midi à Phillys.

La cour était saturée de soleil. Le ciel était d'un bleu carte postale qu'on eût dit forcé, retouché. Et dans ce tableau, Phillys fumait sa cigarette, le front plissé, comme si de lourds nuages noirs s'amoncelaient à l'horizon et qu'elle ne pouvait s'empêcher de penser à son parapluie oublié.

« T'es nerveuse parce que tu attends un bébé..., lâcha-t-elle.

— Non, je suis toujours heureuse quand j'attends un bébé », répliqua Gina...

Et elle éclata de rire. Un grand rire disproportionné qui dura une petite minute avant de se briser net.

« J'ai envie d'une grosse part de gâteau à la patate douce et au lait de coco...

— Attention ! touche pas ton visage, souffla Phillys. Ton bébé risque de naître avec des taches jaunes sur la figure. Mais dis donc, ça fait longtemps que je t'ai pas vue faire un gâteau, t'as arrêté ?

— Bien sûr que non, pas plus tard que samedi j'ai livré une pièce montée pour un mariage en rouge et blanc. Ce que j'ai gagné est allé direct au service des eaux.

— T'as laissé tomber l'idée d'ouvrir ta pâtisserie...

— J'ai plus la force... Les gosses me fatiguent.

— Ben, arrête d'en faire !

— Ouais, je sais... Je me dis toujours ça trop tard... Qu'est-ce que tu veux... Je réfléchis après... Au début, ça va... Mais, tu vois, c'est toujours après que ça se gâte, quand ils grandissent... reprit Gina. Tu te rends compte ! Junior ! Junior ! J'avais fait un bébé, tout beau tout parfait, et regarde ce qu'il est devenu... Lui aussi, je l'ai raté, comme Steeve, comme Mona...

— Ça te fait combien de mois maintenant ?

— Cinq mois...

— Et comment tu vas l'appeler, celui-là ?

— Billy... Je vais l'appeler Billy... »

Phillys fronça les sourcils...

« Et c'est ton dernier ? »

Gina poussa un profond soupir avant de se caresser le ventre... Et puis, à croire que son esprit avait continué de cheminer sur le sujet qui l'intéressait vraiment, elle lança : « Si elle l'aime tant que ça, pourquoi Olivia prend pas Junior avec elle pour de bon ? Qu'elle le garde... Je veux plus le voir... Qu'est-ce que t'en dis ? Il pourrait aller vivre avec sa marraine chérie... »

À ce moment, Sharon apparut dans la cour avec le peigne et le pot de vaseline que lui avait réclamés Phillys. Et Gina se tut tandis que son amie coiffeuse commençait à tracer des raies sur sa tête. Bien sûr, Sharon avait tout entendu...

À la Ravine claire, la plupart des anciens amis de Steeve faisaient de même. Quand Junior croisait leur route, ils détournaient le regard, à croire qu'ils s'étaient tous donné le mot. Il était devenu un paria. En octobre 2007, trois mois après sa sortie de l'hôpital, Junior abandonna donc la rue et ses commerces illicites et divers. Il apprit à ne quitter la case que par nécessité : pour aller à l'école ou à la boutique, se rendre chez sa marraine Olivia. Elle n'avait pas d'enfant et le considérait un peu comme son fils unique. Si tout cela n'avait pas été obligatoire, Junior aurait cessé de sortir de la case sise au numéro 18 de la rue Félix-Éboué. Il serait resté enfermé dans sa chambre, à vie, semblable à un prisonnier.

Non, Junior ne savait plus pleurer. Alors, il n'allait pas verser une larme pour des chaussures... Il s'était contenté d'abandonner dans leur boîte les tennis neuves de marque inconnue et, sans un mot, il avait enfilé ses vieilles Reebok de l'année passée.

Après s'être occupée de la toilette de Katy et de ses petites sœurs, Sharon prépara le chocolat au lait des fillettes. Rentrée des classes ou pas, c'était le même rituel tous les matins. Une cuillère à soupe de lait condensé sucré dans un bol d'eau chaude. Une cuillère à café de faux Nesquik. Un morceau de pain de la veille, parfois un bout de gâteau fouetté.

Sharon se retenait de dire un seul mot.

Ses mains répétaient de façon machinale ce qu'elles avaient appris.

Mesurer le lait et le chocolat.

Verser l'eau chaude.

Remuer.

Couper le pain rassis, le gâteau.

Se concentrer sur ces tâches mécaniques pour s'extraire du réel.

Ne pas regarder la désolation de Katy.

Ne pas sentir la présence pesante de Junior.

Ne pas voir Mona comme une loque.

Ne pas entendre les cris de Gina, les sanglots de Katy, les voix enjouées de la radio, les gémissements de Grand-mère.

Ne pas sentir l'odeur d'urine qui filtrait de la chambre, la puanteur des vêtements et des baskets cradingues de Mona.

Ne pas songer à Steeve qui dormait à la prison.

Ne pas s'inquiéter pour Junior qui ruminait des idées noires toute la journée.

Ne pas penser au lendemain, à ce qu'elle deviendrait, de quelle façon elle pourrait se perdre à son tour.

Oublier Tatie Vivi...

Elle ne voulait penser qu'à une seule chose : c'était la rentrée des classes et elle allait retrouver Betsy Brown qui avait passé toutes les grandes vacances à la Dominique.

Autour du 20 septembre, Mona disparut de nouveau.

Partie sans dire au revoir.

Depuis, on ne l'avait pas revue et 2009 était là. Gina assurait que c'était une bonne chose. Vu qu'elle faisait pleurer sa fille et n'apportait que des tracas, elle pouvait rester là où elle était. Et si le Bon Dieu la rappelait à lui, eh bien fallait pas blâmer une contrariété. Ça ferait juste une orpheline de plus sur la terre. Mais, à bien y réfléchir, il y avait longtemps que Katy grandissait sans sa maman Mona...

Parfois, des chapitres tronqués de sa descente aux enfers dévalaient le Morne Bisiou, se répandaient comme une coulée de boue — *lavalas* — dans les rues et, d'une manière ou d'une autre, s'engouffraient au 18 de la rue Félix-Éboué. Ces derniers temps, on racontait que Mona s'était mise en ménage avec un nègre complètement déglingué, trépané à deux reprises et qui — suite à un accident de moto — marchait avec une plaque de fer de dix centimètres dans la jambe. Il payait son crack en prêtant Mona à d'autres jumpies. Le couple squattait tout l'étage d'une maison de Pointe-à-Pitre dont les propriétaires étaient des commerçants syriens. Après la mort du patriarche, les héritiers ne s'étaient pas entendus pour la séparation des biens. Voilà comment la maison avait été abandonnée à elle-même, d'abord investie par la poussière et les araignées, puis les rats, enfin les toxicomanes de la place qui cohabitaient avec des chauves-souris.

Un jour, une élève de la classe de Sharon

raconta que sa mère avait vu Mona en train de manger dans les poubelles du KFC de Pointe-à-Pitre. Sharon aurait pu la traiter de menteuse, défendre sa sœur. Elle aurait dû... Non, elle n'avait rien dit. Elle avait seulement pensé que son tour viendrait bientôt.

Autrefois, jusqu'en 2005, elle avait bien aimé Mona. L'une avait quinze ans et l'autre fêtait ses huit ans. Mona prenait du crack depuis plus de un an déjà. Gina ne voulait rien savoir. À peine deux mois qu'elle était sortie de la maternité avec sa Judith, l'enfant de feu Raymond Sisal, le camionneur aux yeux verts. Pauvre petite orpheline, Gina la câlinait du matin au soir et n'autorisait personne à gâcher sa joie.

À cette époque, pour Sharon, Mona était toujours sa grande sœur, celle qui la taquinait, la faisait rire en la chatouillant, lui expliquait aussi les choses de la vie d'une femme. Certes, elle prenait de la drogue, mais jurait qu'elle pouvait s'en passer facilement. Elle racontait aussi des histoires parfois terrifiantes et se croyait indestructible comme un super-héro doté de grands pouvoirs.

C'était le 21 janvier 2005. À quinze ans, Mona vivait déjà sa vie — un pied dedans et l'autre dehors, entre deux mondes — déscolarisée, déjantée, et sa mère la laissait faire, espérant que les choses s'arrangeraient d'elles-mêmes. Était-elle déjà enceinte de Katy à ce moment-là ? Bien sûr, oui... Mais cela ne se voyait pas encore. Cinq mois plus tard, Katy naîtrait prématurée, mai 2005. Enfin, Mona était passée pour l'anniversaire. Elle avait embrassé Sharon, disant : « Pardon p'tite sœur, je suis speed aujourd'hui. J'ai pas pensé au cadeau, mais mon esprit va trop vite ces temps-ci. Juste un smack, OK? Et surtout, avant de partir, je voulais te dire : Fais gaffe ! Ta mère te fait de beaux gâteaux, mais elle a un plan pour toi... Grandis pas trop vite, p'tite sœur, ça craint, le monde ! Ouais, c'est chaud... Désolée, je dois y aller, j'ai mille choses à faire. » Elle dansait sur place, remuée par une sorte de dissonance intérieure. À un moment, elle se tourna vers Gina et lança : « Et toi, arrête de regarder tes séries américaines. Tes *Feux de l'amour* à la noix de coco... Les *New York Police Blues* et compagnie... Les *24 heures chrono, New York 911, FBI : portés disparus...* et consorts, les *Columbo, Monk, Perry Mason...* Tu l'as appelée Sharon. Je t'ai à l'œil... Elle est bien avancée à présent. Pourquoi tu l'as appelée Sharon ? Elle va pas vivre en Amérique ! Elle va rester en Gwada toute sa vie... C'est vraiment dégueulasse ! Tu sais ce que c'est une charogne ? » Et Mona épela le mot : « C.H.A.R.O.G.N.E. T'as réfléchi deux secondes avant de lui coller ce prénom qui pue la décharge ? » Et sur ces mots, elle décampa.

En fait, Mona était vraiment pressée, attendue au bourg de Lareine par un comparse, à proximité de la maison de Grand-mère Izora qui était descendue fêter l'anniversaire avec Tatie Vivi, manger le bon gros gâteau qu'avait préparé Gina. À leur retour, elles trouvèrent Bozonégro, langue pendante, pantois devant la porte de la cuisine défoncée. On voyait que les voleurs avaient agi dans la précipitation. Non, ils ne s'étaient pas attardés. Les tiroirs de la commode avaient été sauvagement arrachés et jetés au sol. Draps, nappes et serviettes de toilette avaient été piétinés. Les matelas renversés. Bien sûr, le coffre à bijoux de Grand-mère avait disparu, Adieu collier-choux, chaînes-forçat, grains d'or, créoles cerceaux et boucles d'oreilles pommes-cannelle, broches à camées et pendentifs de gros calibre... Adieu le beau magot — 1200 euros en billets verts — qu'elle gardait dans sa boîte de couture, enveloppé dans un morceau de guipure entouré d'un petit élastique.

Grand-mère venait de perdre ses bijoux de négresse qu'elle avait acquis, année après année, durant toute une vie de labeur, de crédits et d'efforts. Mais elle resta digne et ne versa pas une larme. Bien sûr, elle porta plainte à la police. Pauvre, si elle avait imaginé un instant que sa propre petite-fille était l'auteure du méfait, Dieu seul sait comment elle aurait avalé la chose. Chaque jour, elle entendait dire que des gens se faisaient dévaliser en Guadeloupe, ça devenait banal. « Grâce à Dieu, les bandits ne nous ont pas trouvées dans la maison, Vivi ! soupira-t-elle. Ils nous auraient peut-être assassinées... Heureusement qu'on était à l'anniversaire de Ti-Sha... Tu vois, faut jamais blâmer une contrariété ! »

Quelques semaines plus tard, Sharon chercha la définition du mot charogne dans le *Petit Larousse. Corps d'un animal mort et déjà en putréfaction.*

IX

Son huitième anniversaire était loin. Et Sharon s'était cent fois consolée, se répétant que son prénom était américain et n'avait rien à voir avec la charogne française. Elle s'appelait Sharon à cause de la série américaine *Les Feux de l'amour* que sa mère regardait tous les midis depuis 1996. En effet, Gina adorait l'actrice Sharon Case qui incarnait Sharon Collins à l'écran. Cette Sharon-là avait vécu toutes sortes de tribulations, mais elle trouvait toujours le moyen de s'en sortir. Née de père inconnu, elle avait été violée, avait perdu un bébé, s'était reconstruite, mariée... « Ça, c'est la vie, Ti-Sha : *Les Feux de l'amour,* des hauts et des bas comme sur la mer. Un instant en haut et l'autre en bas. » Sharon avait tenté de suivre les aventures de la blonde Sharon Collins. Elle s'en était très vite lassée, trouvant la série insignifiante et peu crédible. D'ailleurs, elle ne se souvenait pas très bien des différents rebondissements de l'histoire. En revanche, elle n'avait pu oublier les paroles de Mona qui lui revenaient de temps à autre, acérées, blessantes. Pareilles à des flèches qui soudainement lui perforaient le cœur. Alors, Sharon Bovoir avait l'impression tenace de sentir l'odeur de la bête morte, tout près, très près d'elle. Et ces effluves nauséeux lui emplissaient les narines, s'accrochaient à sa peau, et le plus inquiétant était qu'ils semblaient par moments émaner de son propre corps. Et pour s'en défaire, elle se répétait qu'elle irait vivre un jour en Amérique.

Bientôt, ce serait de nouveau son anniversaire.

Dans vingt jours, elle aurait douze ans.

Mona ne serait pas là pour gâter la fête.

Et Gina ferait un gros gâteau, comme toujours.

Après les bébés, sa deuxième passion était la pâtisserie. Parfois, sans œufs ni levure, elle parvenait à faire un fabuleux gâteau...

Au petit matin, en ce 1er janvier 2009, Gina et Sharon s'étaient retrouvées au même instant devant la porte des toilettes. On aurait dit deux somnambules qui s'étaient donné rendez-vous. Elles n'avaient pas échangé un mot, mais s'étaient dévisagées d'un air entendu. Toutes deux portaient un long tee-shirt publicitaire informe, délavé et troué. Celui de Sharon vantait les qualités d'une peinture acrylique ; le tee-shirt de Gina promettait une fraîcheur polaire sous les tropiques, grâce à des climatiseurs haut de gamme bradés à prix discount. Gina tenait le bas de son ventre tout rond à deux mains.

Elles s'étaient regardées — yeux dans yeux — et Sharon avait compris. Elle avait sursauté et reculé d'un pas. S'était retenue de crier dans la pénombre. Et pourtant, un cri avait jailli de sa gorge. Un cri assourdissant de cinéma muet. La bouche grande ouverte, les yeux écarquillés. C'est sûr, Gina perçut le cri de Sharon. En guise de réponse, elle la défia du regard, manière de dire qu'elle n'était pas ébranlée le moins du monde. Oui, elle savait qu'elle avait promis. Et alors ? De toute façon, c'était trop tard. Il n'y avait plus moyen de faire machine arrière. On aurait beau la critiquer ou la toiser, elle avait encore réussi, elle attendait son nouveau bébé.

Et personne ne pourrait plus l'empêcher de le porter jusqu'à son terme
Son huitième bébé
Le dernier promis
Celui qui ne serait ni vendu ni perdu ni vendu ni perdu ni vendu

Après les accouchements, Gina ne parvenait jamais à retrouver un ventre plat. Elle gardait donc de tout temps un petit bedon qui lui permettait de masquer la nouvelle grossesse. D'en jouir seule, au moins jusqu'au cinquième mois.

Déjà seize mois qu'elle avait mis au monde Billy...

À présent, il marchait et il apprenait à parler. Il était déjà trop grand pour prendre le sein. C'était un jeune enfant nerveux, instable. On avait l'impression qu'il avait toujours besoin de se battre, de se défendre. Il donnait de violents coups de poing à quiconque le contrariait. S'il avait du mal à se faire comprendre, il hurlait et grignait, se jetait furibond à la renverse. Il aimait mordre. Vous poursuivait en grognant, les babines retroussées, pareil à un jeune dogue. Les premiers signes... Il avait commencé par mordiller le bout des seins de sa mère. Au début, Gina en riait, à cause des adorables quenottes qu'elle avait doucement vues percer les gencives de son bébé.

« Non, il ne sait pas, Ti-Sha... Il fait pas exprès... Il est différent des autres, je te dis... C'est mon petit ange celui-là et je vais le protéger... Personne ne lui fera de mal... Oh! je l'ai tellement attendu... Il est gentil comme toi et plus doux que Tonton Max... Il nous fera pas de mal, je te promets... Non, c'est pas un méchant... », roucoulait-elle. Et elle le caressait, le prenait dans ses bras et l'embrassait, à croire qu'elle s'apprêtait à le dévorer.

J'aurais aimé lui dire qu'il était déjà perdu comme les autres

Mais elle avait tellement envie d'y croire

J'aurais voulu lui dire que je l'avais déjà vu mourir une fois

Tomber et se relever et vaciller et mourir

Perdu pour toujours
Perdu encore une fois même si pas vendu
Le septième enfant

C'était sûr, Billy partait de travers pour de bon, pas moyen de se voiler la face plus longtemps. Quand Gina en fut convaincue, il avait presque quinze mois et elle s'était mise à le battre pour le redresser. Fin octobre, elle abandonna ses réserves concernant ce genre de croyances et, lasse, se résolut à écouter les conseils d'Églantine, la mère de Phillys Bordage. Elle fit donc ausculter l'enfant par Pita, une très sainte dame réputée pour ses guérisons miraculeuses jusqu'au Venezuela. Églantine avait déjà emmené là Dany, son unique petit-fils.

Jusqu'à ses cinq ans, Dany avait été considéré comme un enfant hyperactif. Le jour, il touchait à tout, cassait beaucoup. Il ne restait pas en place plus de dix minutes, enquiquinait les gens sans arrêt. Pauvre Dany, il s'était déjà brûlé gravement trois fois par le feu, l'eau et le fer. Le feu d'un barbecue, l'eau bouillante d'une casserole et le fer à repasser de sa marraine. « On voit bien qu'un diable gouverne son corps, chuchota Églantine. La nuit, il fait des cauchemars, se réveille en criant, à croire qu'il se bat contre des esprits malins. » La maîtresse de l'école maternelle avait enjoint à Phillys de consulter d'urgence un psychologue, mais Églantine avait préféré prendre un chemin plus sûr et — selon elle — moins tortueux. « J'ai bien fait, conclut-elle. Après la visite à Pita, les soins, les prières et les tisanes, Dany le brise-tout a complètement changé. Il a maintenant six ans et demi et s'est transformé en modèle d'enfant. »

Un peu médium et rebouteuse, Pita ressemblait au docteur Alexx Woods, la négresse légiste qui, aux côtés de l'imperturbable Horatio Caine, officiait dans la série préférée de Gina : *Les Experts : Miami.* Avec un fort accent dominicain, elle demanda à son assistante de déshabiller Billy et de le maintenir fermement sur une solide table de mahogany dont les quatre pieds sculptés imitaient les pattes d'un éléphant. La fille maigrelette n'eut pas à s'efforcer longtemps. Billy résista juste quelques instants. Bien vite, ses cris cessèrent et il arrêta de gesticuler, miraculeusement calmé par les mains de Pita, comme hypnotisé par son regard.

Églantine et Gina se tenaient à distance, assises sur un banc constitué de bois flotté et recouvert d'une peau de cabri malodorante. La pièce était sombre, rustique, meublée de billes de bois non équarries et de chaises disparates. Des planches de coffrage faisaient office d'étagères sur lesquelles étaient posés des livres de sciences occultes, des conques à lambis et de grosses bougies dégoulinantes de cire raidie. Accrochés aux murs, des portraits. Pas un seul paysage. Seulement des visages d'hommes et de femmes noirs. Ils ressemblaient tous à des illuminés et vous fixaient avec une telle austérité qu'on eût dit qu'ils montaient la garde et sauraient sortir de leurs cadres à la moindre algarade.

Se tordant les mains, Gina ne perdit rien de la séance. D'abord, la sainte palpa les organes vitaux de Billy. Elle scruta le fond de sa gorge, le blanc de ses yeux et ses trous de nez. Grimaçant, elle renifla la sueur à ses aisselles, les émanations de ses parties génitales et le choubichou entre ses orteils. Après un temps de réflexion, elle fit un geste en direction de son acolyte. Celle-ci trottina jusqu'à une armoire qu'elle ouvrit prestement. Avec délicatesse, elle en retira un coussinet de velours rouge sur lequel était déposée une longue et fine épingle à tête. Pita l'attrapa d'un geste sûr et, sans tergiverser ni calculer, piqua la pointe dorée dans la pulpe de l'index de la main droite du garçonnet. Billy poussa un gémissement de chiot. La goutte de sang attendue perla au bout de moult pressions. Avec gourmandise, Pita suça un long moment le doigt de Billy. Cette étape franchie, elle se fixa une lampe de spéléologue sur le front et entreprit d'inspecter chaque centimètre de la peau de l'enfant.

Le petit corps était déjà marqué d'une dizaine de cicatrices — la plus grande mesurait bien cinq centimètres. Gina ne se souvenait même plus de quelle façon Billy s'était tellement amoché. Pita s'attarda sur l'angiome qui fleurissait au mitan de son dos, entre ses omoplates, et Gina se remémora sa surprise au jour de la naissance de son dernier fils. Billy était né avec cette tache violacée qui avait la forme d'un banjo. À l'époque, on avait considéré que c'était une envie qui s'effacerait au bout d'une année pleine. Il avait près de quinze mois et on aurait cru que ça grossissait à mesure qu'il grandissait. Lorsque Gina lui donna cette information, la guérisseuse se mordit la lèvre inférieure et hocha la tête avec componction.

Après ces différents examens, Pita se retira dans une alcôve. Là, elle se rafraîchit le corps et but le petit verre de rhum qui désinfectait ses entrailles des effluves néfastes toujours rencontrés au cours des séances. De retour dans la salle de consultation, elle déclara avoir détecté la présence de traces infimes mais suspectes qui signalaient les allées et venues d'un esprit tourmenté dans le corps de l'enfant. Sitôt posé le diagnostic, elle se remit au travail. Durant une heure, elle nettoya l'innocent par frottages et prières et lui fit inhaler diverses fumigations de plantes certifiées biologiques. Toutes ces simagrées étaient censées débarrasser définitivement Billy de cet esprit maléfique qui l'habitait par intermittence. Avant de partir, d'emporter son angelot endormi et complètement ramolli, Gina allongea deux billets de cent euros retirés de l'argent économisé sur son livret A. Et, partagée entre scepticisme et reconnaissance, elle dit merci et au revoir à la dame.

Billy resta K.O. trois jours dans son berceau. Et l'on cria au miracle. Pauvre, le quatrième jour, il se leva, reprit ses sens et redevint le petit démon que Gina avait mis au monde. Désemparée, elle se dit que Pita avait dû oublier certains recoins où s'était sûrement incrustées des croûtes et crasses, des vieilles squames et glaires de l'esprit malin. Aussitôt, elle lui donna deux tapes sur le dos et trois sur les fesses pour tenter de déloger ces derniers résidus. Las, Billy la mordit et rendit coup pour coup... Alors, craignant que le monstre ne reprenne le dessus, Gina le cajola, lui demanda pardon, le couvrit de baisers. « Pourquoi, Seigneur? demanda-t-elle. Pourquoi mon Dieu? Est-ce que je suis maudite? » Et elle songea que Pita lui avait demandé si, dans la famille, elle avait eu connaissance d'un enfant mort avant l'heure et qui serait peut-être devenu une âme perdue, égarée sur la terre, incapable de trouver la route du ciel et qui se serait réfugiée dans le corps et l'esprit de Billy. Non, Gina n'avait pas d'autre famille que la sienne. Sa mère Izora était veuve et n'avait eu qu'une sœur, Chimène, qui était morte à soixante-seize ans sans laisser de descendance. Et Vivi — Dieu ait pitié de son âme — n'avait pas eu le temps de porter un seul enfant avant de se jeter au bas de la tour Schoelcher.

Le dernier dimanche de novembre, Sharon apprit ce qu'on avait infligé à Billy cet après-midi-là, ce qui s'était dit à son sujet...

Il avait fallu attendre la visite de Phillys Bordage...

Depuis que Vivi s'en était allée, les cheveux de Gina partaient en paillasse. Phillys descendait à la Ravine claire tous les trois, quatre mois mais ce n'était pas suffisant. De ce côté, Gina était très différente des femmes de la Ravine claire qui passaient le temps à se coiffer entre elles et à chouchouter leurs cheveux en leur infligeant toutes sortes de tortures pour les défriser, les rallonger, les colorer. Si Gina ne quittait pas sa case, elle amarrait sa tignasse dans un foulard et pouvait l'oublier pendant deux, trois jours. Bref, Phillys avait fort à faire lorsqu'elle débarquait à la Ravine claire. Elle était toujours chargée. Transportait sa mallette de coiffeuse professionnelle qui contenait son matériel et ses produits capillaires américains toujours nouveaux, toujours déclarés plus révolutionnaires pour domestiquer les cheveux des négresses. Ramenait aussi un cabas empli de victuailles et provisions : briques de lait et jus bon marché, boîtes de conserve, cassoulet, raviolis, sardines, maquereaux, biscuits sucrés, Javel, savons de toilette et parfois une poule congelée, deux kilos d'ailes de dindes, un paquet de dix steaks hachés surgelés.

« Oh ! Phil ! T'es trop gentille ! s'écriait Gina. T'aurais pas dû... Un jour, tu me diras combien je te dois... » Puis elle s'adressait à Sharon. « Ti-Sha ! Rends-moi service, tu veux bien ? Va ranger tout ça dans la cuisine. »

Et pendant que Sharon traînait le cabas en l'emportant comme un gros cadeau de Noël, Phillys arrangeait une mèche de ses cheveux et répondait : « Ça me fait tellement plaisir... C'est pour les enfants... Tu oublies que Vivi était ma sœur. Toi aussi, t'es ma sœur, ma grande sœur chérie... »

En ce mois de novembre, il faisait encore chaud. Il n'y a plus de saisons non plus sous les tropiques. Elles s'installèrent dans la courette de derrière, dessous un auvent de tôle et gaulettes qu'avait monté Jean Rocasse, le père de Perle. Bien sûr, avant d'attaquer la crinière, elles n'avaient pas manqué d'évoquer Vivi. Les yeux de Phillys étaient pleins d'eau dès qu'elle parlait de sa bonne amie défunte. Elle disait que Vivi ne l'avait jamais quittée. Elle la sentait parfois à ses côtés, presque réelle, surtout dans les moments où elle devait prendre une décision importante.

Six mois après la mort de son amie, soit en mars 2007, Phillys avait réussi à ouvrir le VIP SHOW, dans une zone franche de Pointe-à-Pitre. La rue du salon de coiffure n'était pas des plus chics mais, après une année d'effort, la clientèle était à présent au rendez-vous et Phillys avait pu recruter deux employées diplômées. Bon, pour dire vrai, cette rue était sinistre. Les rideaux de fer des boutiques voisines étaient baissés, cadenassés et tagués depuis au moins un an. Les propriétaires avaient soit fait faillite, soit fui le quartier, à cause des braqueurs qui pouvaient débarquer à huit heures du matin, à midi ou à six heures du soir — sans jamais être inquiétés par la police. « Je ne vous conseille pas de signer le bail, lui avait soufflé le vieux Corse qui tenait le magasin de souvenirs et cartes postales au coin de la rue. Ici, tout peut vous arriver ! La semaine dernière, je me suis fait visiter deux fois. Y a six mois, un type à cagoule noire a pointé un fusil sur moi. M'a forcé à lui donner la caisse. Pourquoi je reste ? J'ai nulle part où aller. Ça fait quarante ans que j'ai ouvert mon petit commerce à Pointe-à-Pitre et personne m'en délogera... » La rue était infestée de toxicomanes qui déambulaient en fouillant des yeux les caniveaux à la recherche des petits cailloux qui leur feraient retrouver le chemin de leur maison.

Sharon aurait voulu se mêler à la conversation, demander à Phillys si elle avait déjà vu Mona traîner dans sa rue, chercher des petits cailloux dans les caniveaux... Mais l'amie de Vivi appartenait à cette catégorie de personnes qui ne reprennent pas leur souffle entre deux phrases.

« En tout cas, moi, ils m'ont jamais embêtée. Moi, Phillys Bordage, je garde pas d'espèces dans ma caisse. Dès que j'ai du cash, je le planque. Si on vient m'attaquer, on trouvera que des chèques et des tickets de cartes de crédit. En plus, je demande à mes clientes de ne pas porter de bijoux en or quand elles viennent se coiffer chez moi... » En outre, Phil bénéficiait de nombreux avantages fiscaux, ce qui lui permettait de voir son argent, de se faire plaisir, d'avoir les moyens d'élever son petit Dany. « Oui, depuis que je suis à mon compte, c'est fini la galère. Plus jamais je me ferai exploiter par une patronne ! Et je peux te dire que je déclare les filles que j'ai embauchées, elles ont pas à se plaindre. » Phillys était persuadée que Vivi l'avait guidée à chaque pas et soutenue dans tous ses choix. « Je pense à elle tous les jours dans mes prières... Je te jure, Gina, y a une justice. Un jour, on entendra causer des malheurs d'Harry Barline. Et même s'il va se cacher à l'autre bord du monde, en Nouvelle-Calédonie ou bien en Haïti, on vivra assez longtemps pour voir éclater la vérité... En tout cas, il a pas intérêt à revenir... »

Après lui avoir servi un jus de goyave, Gina lui offrit une part de mont-blanc au coco et lui parla de Dolly Mercéris qui, au bout de deux années de persévérance, avait soi-disant fini par tomber enceinte de son prince italien. Elle n'était pas loin d'accoucher et vivait à la marina du Gosier, dans une somptueuse villa, paraît-il, les pieds dans l'eau et les mains pleines d'euros. Les mauvaises langues racontaient que l'argent venait de la drogue. Phillys avait dit qu'elle ne voulait plus fréquenter cette Dolly. Après la mort de Vivi, quelque chose s'était cassé entre elles. De toute façon, il était clair que l'Italien était un parrain de la mafia et que tous ses magasins étaient de belles vitrines derrière lesquelles se pratiquait le blanchiment de l'argent sale. Valait mieux se tenir à l'écart. Et puis, pour revenir à Dolly, c'était quasi sûr, elle se blanchissait la peau avec toutes sortes de crèmes à base d'hydroquinone et d'allantoïne ramenées de Saint-Martin. Ceux qui l'avaient croisée ici et là avaient manqué ne pas la reconnaître tellement elle était devenue blême. Son drame était qu'elle vivait au milieu de trop de Blancs. Dans toutes les réunions entre amis, Dolly était bien souvent la seule Noire. Et elle avait à présent l'impression d'être de plus en plus noire. Ça lui montait à la tête comme une lubie et sa hantise était de mettre au monde un enfant aussi noir que sa grand-mère paternelle. Et c'était pitié d'évoquer son palais de la Ravine claire. Il s'étiolait tout bonnement sans sa princesse. Dolly payait une fortune une femme de ménage qui balayait les pièces à la va-vite et ouvrait de temps en temps les fenêtres. Au dire de cette dernière, il n'était question ni de vendre ni de louer. On avait déjà cambriolé trois fois chez Dolly. Les voleurs avaient été dérangés et n'avaient pas emporté grand-chose : quelques pièces d'argenterie, un four à micro-ondes, la télévision... À la troisième profanation, Dolly avait fait poser du fer forgé sur les portes et fenêtres. L'un de ses cousins, tâcheron communiste, avait exhaussé le mur qui faisait l'entour du château. Et il y avait maintenant, au mitan de la Ravine claire, cette forteresse qu'on apercevait depuis le Morne Bisiou et qui s'élevait, prétentieuse et austère, derrière une muraille de trois mètres cinquante hérissée de tessons de bouteilles. Les touristes qui escaladaient le Morne Bisiou croyaient qu'il s'agissait d'un monument historique qui avait traversé les ans, une bâtisse restaurée ayant appartenu à l'un de ces odieux maîtres qui faisaient régner la terreur du temps de l'esclavage. Seigneur, fallait les voir prendre des photos du château abandonné qu'on disait hanté.

De quelle façon naissent les légendes ?

Pendant que Dolly Mercéris attendait son enfant en Grande-Terre en priant Dieu qu'il ne sorte pas trop noir de ses entrailles, on racontait que des fantômes habitaient son château...

Certains soirs, une lumière dansait derrière les fenêtres de la maison, allait et venait dans les pièces, grimpait et dévalait les étages. D'aucuns juraient avoir rencontré un trio de diablesses enjouées qui se dirigeaient vers le château de Dolly. On les aurait soi-disant vues s'arrêter devant le massif de roses de porcelaine qui montait la garde à l'entrée de la propriété très privée. Et, d'un coup, elles auraient disparu, abandonnant leurs rires de verroterie devant le portail de fer forgé. D'autres soutenaient que ceux qui avaient eu le malheur de s'introduire dans le château avaient tous été atteints d'un mal mystérieux. Ni la police ni la justice ne s'en étaient mêlées. Cependant ces individus — bien connus de la Ravine claire pour leurs méfaits — payaient leur impudence au prix fort. Chez l'un, on avait subitement découvert la maladie des os de verre. Et en effet, ses os se cassaient et s'effritaient l'un après l'autre. Tant et si bien que sa vieille mère, chez qui il avait trouvé refuge, avait dû transformer son lit d'enfant en une sorte de nid constitué de paille, hardes molles, toiles douces et vieux coton cardé d'un matelas remisé. Du côté de son acolyte, on remarqua un brusque basculement de la raison, et c'est d'ailleurs à partir des dires de celui-ci que l'on déclara la maison hantée. Il aurait vu des fantômes errer dans les chambres vides. Il les aurait vus — de ses yeux vus — marcher en procession et prier à l'unisson. Et puis, il aurait vu des chaises bouger toutes seules autour d'une table sur laquelle la vaisselle se déplaçait et s'ordonnançait de manière autonome. Sans demander son reste, il aurait décampé au quatrième galop. Une semaine plus tard, on l'avait repêché sur une plage de la Grande-Terre, en train d'essayer de noyer son corps. Mais la mer n'avait pas voulu de ce déchet et cent fois l'avait rejeté sur le sable. Illico presto, les pompiers avaient transporté notre bonhomme à Pointe-à-Pitre, dans un service de psychiatrie où il passait ses jours à mâchonner ses visions. En ce qui concernait le troisième larron, il aurait été victime d'une combustion spontanée qui méritait peu de commentaires. Enflammé d'un coup au mitan de sa cuisine, il avait brûlé un petit quart d'heure avant de tomber en cendres.

Phillys s'était mise à rire, disant que les gens étaient bien crédules de croire à toutes ces histoires de nègres.

Je les observais

Je les écoutais

Je me laissais étourdir par leur babillage

Elles me distrayaient des images tristes qui faisaient la ronde dans ma tête

Elles ne me voyaient pas

Mais si elles se taisaient il leur arrivait de regarder toutes deux dans ma direction

À croire que les réponses m'appartenaient

Je me demandais si Gina allait dire son secret à Phillys Bordage

Lui annoncer que depuis le mois d'août elle portait dans son ventre un huitième enfant

Gina ne l'avait dit à personne dans la maison

C'était notre secret

C'était notre bébé

C'était notre joie

Autrefois Gina confiait tous ses secrets à Vivi

J'avais souvent été tentée d'entrer dans leurs conversations

Je les appelais

Je hélais

Personne ne m'entendait

Le jour de sa mort j'avais suivi Vivi dans les rues de Lareine

J'avais pris le car

Derrière elle j'avais grimpé les quinze étages de la tour Schoelcher

J'avais essayé de la retenir

Je l'avais suppliée de ne pas sauter

Elle ne m'avait pas entendue

Personne ne m'entendait jamais

Le cas Dolly Mercéris décortiqué, la conversation emprunta alors différentes voies qui butèrent toutes sur des silences dans lesquels s'engouffraient des pensées inavouables, des souvenirs amers.

L'après-midi était déjà bien entamée. De grandes échancrures bleu nuit s'ouvraient l'une après l'autre dans le ciel. Sur la tête du Morne Bisiou, le soleil incendiait un champ de nuages blanc coton. Et pas une feuille ne remuait dans les branches des arbres alentour.

Phillys alluma une cigarette blonde et demanda à Sharon un verre d'eau glacée.

« S'il te plaît, apporte une bouteille et deux verres, moi aussi j'ai soif, Ti-Sha », fit Gina en épongeant la sueur à son front.

Quand Sharon réapparut avec ce qu'on lui avait commandé, Phillys tirait encore sur sa cigarette et soufflait un dernier rond de fumée qu'elle observait d'un air mélancolique.

« Hep ! Avant de te rasseoir, Ti-Sha ! Rends-moi encore un petit service, tu veux bien ? demanda Gina. Va voir si ta grand-mère a besoin de quelque chose. »

Sharon poussa la porte en tâchant de ne pas la faire couiner. Elle avait toujours le cœur pincé et une boule dans la gorge lorsqu'elle entrait dans cette chambre qui était en fait la sienne, celle que Tonton Max avait bâtie pour elle. Les persiennes étaient baissées et un fort parfum de lavande flottait dans l'air. L'infirmière venait de passer pour la toilette du soir. Elle abusait toujours de la bombe désodorisante, s'imaginant que l'arôme chimique parviendrait un jour à couvrir les relents d'urine qui habitaient la pièce. Allongée sur son lit, bien propre, calme, Izora avait les yeux grands ouverts dans la pénombre. Elle fixait le mur face à elle. Non, elle n'avait besoin de rien. Elle ne détourna même pas son regard pour répondre à Sharon.

« Il fait chaud, Grand-mère. Tu veux un peu d'eau ? » Sharon commençait déjà à avoir mal au ventre.

Après un petit temps de silence, Izora secoua la tête comme si elle était contrariée. Puis elle murmura d'une voix lasse :

« Dis bonsoir aux messieurs dames qui sont venus me voir, Ti-Sha. Ta maman t'a donc pas appris la politesse ? Va chercher des chaises et des boissons pour ces bonnes gens...

— Mais je vois personne, Grand-mère...

— Ah ! Seigneur ! Voilà la jeunesse d'aujourd'hui ! Insolente, fainéante... »

Sharon n'avait pas envie de faire de peine à Izora. Alors, elle dit bonsoir aux invisibles et alla chercher trois chaises qu'elle installa près du lit. Puis elle retourna à la cuisine et ramena un plateau sur lequel tremblaient trois verres et un broc empli d'eau du robinet. Elle déposa le tout sur son bureau qui servait maintenant à ranger et préparer les médicaments que prenait Grand-mère. Un véritable comptoir de pharmacie...

Izora tapota alors le bord du lit et invita sa petite-fille à s'asseoir.

« Tu connais Mme Débasse, tu peux l'embrasser, elle vient me voir tous les jours avec son mari et M. Rameau et Mlle Blaise... Et ton bon grand-père Justin-Auguste Bovoir... Et tu vas me dire que tu ne reconnais pas ta Tatie Vivi... »

Sharon était pressée de retourner dans la cour. Elle avait besoin d'écouter tout ce que disait sa mère. Elle grandissait — bientôt douze ans — et ne voulait pas être prise au dépourvu lorsque Gina serait parée à l'abandonner. Elle devait être prête. Souvent, elle se demandait si tout n'avait pas été calculé d'avance pour Steeve et Mona. L'un et l'autre, Gina les avait laissés se perdre dans la drogue sans lever le petit doigt, sans les décourager, sans même tenter de les tirer de là. Et à présent Steeve dormait à la geôle tandis que Mona s'abîmait dans la mangrove. Bébés, elle les avait tant aimés. Comme de jolis poupons noirs. Et puis ils avaient grandi... Parfois, Sharon s'interrogeait sur sa mère. À la cité scolaire Nelson-Mandela, tous les parents savaient que la drogue circulait. Gina n'en parlait jamais. Elle ne s'intéressait pas à ces questions. Elle ne mettait pas ses enfants en garde contre les dangers du monde. Elle avait laissé Mona boire et fumer, boire et fumer... Et elle avait détourné les yeux... C'était sa manière de réagir aux coups de la vie. Ce qu'elle ne voyait pas n'existait pas. Cela faisait aussi près de un an et demi qu'elle évitait de regarder Junior... Parfois, Sharon se souvenait de Jean Rocasse, le père de Perle. Du temps où il vivait avec eux, il avait tenté d'alerter Gina. Elle ne l'avait pas écouté. À l'époque, Sharon avait cinq ans à peine. Steeve avait tant de fois raconté cet instant tragique où il avait brandi son couteau... Elle avait parfois l'impression qu'il s'agissait de ses propres souvenirs. On se serait cru dans un épisode de *Columbo.* Ils étaient tous attablés. Gina avait fait des raviolis. Tonton Jeannot avait essayé de s'expliquer ; elle avait refusé de l'entendre. Lui qui n'avait que de bonnes intentions, elle l'avait même soupçonné de tourner autour de Mona — avec des regards voraces et des idées malsaines. Est-ce que Gina était perdue aussi ? s'inquiéta Sharon. En 2005, peu après la naissance de Judith, Jean Rocasse avait réapparu dans la vie de Gina. Il venait le soir, la nuit, en catimini... En vain, il avait essayé de reprendre sa place dans la vie de Gina. Est-ce que sa mère était perdue autant que Steeve et Mona ? se demandait Sharon.

Soudain, elle sentit ses mâchoires se crisper et ses dents se serrer sans qu'elle puisse rien maîtriser. Elle avait l'impression de percevoir des présences autour d'elle, des brassages d'air inhabituels, des respirations qui jouaient à souffler le chaud et le froid dans son cou, sur ses joues. Est-ce qu'ils étaient là ? Grand-mère les voyait-elle vraiment ? Sharon plissa les yeux, manière pour elle de rendre sa vue plus fine. Elle scruta la pièce, insistant bien entendu sur les recoins plus sombres, ceux moins exposés ; l'un ou l'autre aurait pu s'y dissimuler. Elle aurait bien voulu entrevoir l'un de ces invisibles — au moins une fois. Sa main emprisonnée dans celle de Grand-mère Izora, marcher dans ce royaume des ombres et disparaître à son tour. Elle aurait aimé revoir Tatie Vivi. Aurait été curieuse de découvrir la tête qu'avait Mlle Blaise... Las, pour ses yeux il n'y avait personne d'autre qu'elles deux dans la chambre.

« Maintenant je dois te laisser, Grand-mère. J'ai mes leçons à apprendre...

— Hein ! Tu les as vus ? » fit Izora en agrippant la main de sa petite-fille. Son regard était plein d'espoir.

« Oui, je les ai vus », murmura Sharon.

Grand-mère poussa un soupir de soulagement. « Ah ! C'est bien... Ah ! Enfin ! À présent, je suis contente...

— Moi aussi je suis contente..., fit Sharon.

— Et la femme zombie ? Elle est revenue ? » demanda Grand-mère, soudain inquiète, serrant plus fort la main de Sharon.

C'était ainsi qu'Izora appelait Mona depuis le fameux incident.

« Non, Mona est à Pointe-à-Pitre... Elle vit dans une grande maison. T'en fais pas, elle reviendra pas de sitôt... »

Au bout d'un moment, Izora libéra la main de Sharon. Elle opina du chef et ferma les yeux, ce qui signifiait qu'il ne fallait plus l'importuner. Lorsque Sharon sortit de la chambre, les enfants étaient rassemblés devant la télé. Ils regardaient Adrian Monk s'agiter dans une nouvelle enquête policière. Billy s'était endormi par terre, aux pieds du vieux fauteuil club. Son tricot était relevé, dévoilant une partie de son dos. La tache semblait s'être un peu estompée. Sharon songea un instant à ramasser Billy, avant de renoncer aussi sec. S'il se réveillait dans ces manipulations, il risquait d'être de très mauvaise humeur et d'embêter tout le monde. Valait mieux le laisser dormir tranquillement. Elle attrapa un de ses livres de classe au hasard et regagna la cour.

Phillys avait fini le démêlage des cheveux. Après avoir enduit de vaseline *Softee* le pourtour de la tête de Gina, elle sépara la chevelure en quatre choux identiques. Silencieuse et bien concentrée, elle versa les produits de défrisage dans un petit bol et se mit à les battre comme une mayonnaise. Lorsqu'elle jugea la mixture parée, onctueuse à son goût, elle enfila des gants jetables. Puis, elle fourra sa main dans une grande trousse, attrapa un pinceau. Et ce n'est qu'au moment où elle commença à appliquer la préparation sur les cheveux de Gina qu'on entendit de nouveau le son de sa voix.

« Hé, tu vas te décider à louer la maison de ta mère au bourg de Lareine ? Ça fait combien de temps qu'elle est fermée maintenant ?

— Mai ou juin 2007, je crois bien, lâcha Gina. C'était après l'arrestation de Steeve.

— Hé ! Bientôt un an et demi... Pourquoi tu

irais pas vivre là-bas avec tes enfants ? Tu crois pas que tu serais mieux qu'ici ? enchaîna Phillys.

— J'ai pas envie de quitter ma maison, fit Gina.

— Alors, pourquoi tu ne la loues pas ? Y a plein de gens qui cherchent un toit. Elle est bien placée au bourg... »

Gina parut agacée.

« J'ai touché à rien là-bas. Y a toutes les affaires de Vivi, toutes ses chaussures...

— Toutes ses chaussures..., répéta Phillys.

— Non, j'ai pas envie de louer la maison de ma mère à des étrangers... Et puis, elle n'est pas encore morte. Je suis pas docteur, Phil, peut-être que sa santé va finir par s'arranger... Peut-être qu'elle pourra retourner chez elle avec une aide-ménagère et une infirmière à domicile... Son état s'améliore chaque jour. Elle sort plus souvent de son lit ces derniers temps. En plus, tu me fais penser que je dois aller faire du tri là-bas... J'irai avec Sharon et les petites... Seigneur, qu'est-ce qu'on va faire de toutes les chaussures de Vivi !

— Toutes ces chaussures », redit Phillys en soupirant.

Enfin, Gina évoqua la séance de guérison chez la Dame Pita.

Sharon s'était installée sur un ti-banc, à deux pas, assez près pour ne rien rater de la conversation, son livre d'histoire ouvert sur les genoux, le temps du monde arrêté à une page des années 1850, avec des photographies en noir et blanc sur lesquelles on voyait des hommes coiffés de hauts-de-forme et des femmes en crinolines. Du moment que ses enfants avaient un livre entre les mains, Gina était persuadée qu'ils étaient plongés dans leur lecture, sourds aux bruits alentour. Alors, elle en arrivait à oublier leur présence et, sans discernement, abordait tous les sujets de conversation devant eux.

Phillys haussa les yeux au ciel.

« Dis-moi que c'est pas vrai, que t'as pas fait ça ! Mon Dieu, Gina ! Tu aurais dû me parler au lieu d'écouter les délires de ma mère et d'aller courir chez cette Pita... Mon Dany s'est arrangé avec l'âge, avec l'école. J'étais folle quand elle m'a dit qu'elle l'avait emmené chez cette Dominicaine. Tu sais, le mercredi, j'ai personne pour le garder, alors Dany est chez ma mère. Eh ben, tu te rends compte, elle m'a pas demandé la permission. Elle l'a emmené. Je ne crois pas une seconde que cette Dame a guéri mon enfant de quoi que ce soit... Il avait juste besoin d'un peu de stabilité... Je l'ai tellement trimballé à gauche à droite avant de me poser quelque part... Pour ma mère, c'est grâce à elle si Dany s'est assagi. Et, je te jure, elle se fâche si je lui dis le contraire... Tu la connais... Elle raconte partout que c'est grâce à elle que j'ai pu ouvrir le salon... Je rêve ! »

Hélas ! À chaque fois que Phillys s'était trouvée en difficulté, même sans le savoir, sa mère qui passait son temps à consulter n'avait écouté que son cœur et elle avait fait appel à un professionnel de la destinée fatale et du démêlage des affaires. Férue de médecine parallèle sortie du fond des âges, Églantine était aussi connue pour sa passion des sciences ancestrales ramenées de l'Afrique. D'ailleurs, elle ne portait que des boubous taillés dans du wax véritable fabriqué au Ghana. Les rares fois où Sharon l'avait vue à la Ravine claire, elle avait cru que c'était une Africaine qui lui rapportait des nouvelles de son papa.

« Pita a dit qu'un esprit avait habité le corps et l'esprit de Billy, pauvre petit... Il est toujours aussi agité. Je sais plus quoi faire...

— Arrête, Gina ! Je pensais que tu ne croyais pas à ces vieux machins, que tu refusais de donner ton argent à des sorciers ! s'exclama Phillys en lissant avec précaution une mèche de cheveux.

— Ta mère m'a dit que c'était une guérisseuse. Tu sais, Phil, parfois j'ai l'impression d'être possédée... Avant qu'elle tombe malade, Izora essayait de me faire comprendre qu'il y avait un truc qui ne tournait pas rond chez moi. Maintenant elle déraille, mais je crois que j'aurais dû l'écouter...

— Tous tes enfants..., souffla Phillys, de la même façon qu'elle avait dit un peu plus tôt « toutes ses chaussures... » en évoquant Vivi.

« On en a déjà parlé. Je crois que je suis dingue... Tu te rends compte que le père de Billy est le frère du scélérat qui a poussé Vivi à se tuer ?

— Mais non, ils ont rien à voir... Harry est un

démon et Max c'est un ange... Au moins, il sait pas que tu as emmené Billy chez une guérisseuse ?

— Tu rigoles ! Pour Max, Billy n'a pas de problème. Et c'est drôle, dès que son papa est là, cet enfant-là est tout calme, tout gentil...

— Moi, je le trouve pas mal, Max Barline. Tout l'opposé d'Harry. J'avais dit à Vivi de pas se fier à ce type-là, mais que veux-tu... C'est la vie, on peut rien changer à ce qui s'est passé... Ben, tu n'as qu'à te mettre sérieusement avec lui.

— Qu'est-ce que tu veux dire ?

— Ben, tu te maries ou tu te pacses, je sais pas... Tes enfants l'aiment bien, pas vrai ?...

— Non, on veut pas. Il a déjà eu une famille, tu sais. Ça s'est mal terminé. Il croit qu'il porte malheur. De toute façon, à chaque fois qu'un homme est venu habiter chez moi, ça a été une catastrophe... Et puis, j'ai pas envie de perdre mes allocations...

— Dis plutôt que tu les as foutus à la porte l'un après l'autre... ou qu'ils sont morts... Ça te fait quel âge cette année ?

— 2009 me donnera trente-sept ans, murmura Gina.

— Ça nous rajeunit pas », déclara Phillys.

Gina minauda, puis elle éclata de rire, de manière tout à fait incongrue.

Le silence s'installa entre elles deux. Et tandis que Phillys rinçait ses cheveux, Gina souriait, se demandant ce qui — au fond — l'avait empêchée de chasser Max Barline, pour quelle raison il était toujours là, pourquoi celui-là n'avait pas encore disparu de sa vie, comme tous les autres avant lui... Parfois, elle imaginait que Vivi la voyait. Que pensait-elle de toutes ces péripéties ? D'autres fois, elle avait l'impression de n'être rien d'autre qu'un jouet manipulé par des esprits supérieurs ou de grands scénaristes un peu barjots qui conduisaient son existence... Alors, elle se mettait à rire, afin de chasser les bouffées d'angoisse qui l'assaillaient.

« Non, faut pas te culpabiliser, Gina..., lâcha Phillys croyant lire dans ses pensées.

— Quand je regarde en arrière, je me demande ce qui m'a pris de faire tant d'enfants... Tu crois pas que je suis maboule, Phil ? Ce qui m'inquiète le plus, c'est que je fais n'importe quoi pour avoir un bébé... Et quand je tombe enceinte, tu peux pas comprendre comment je suis contente, comment je me sens tellement vivante... »

De nouveau, Gina pouffa de rire, comme une femme folle. Et elle répéta : « Tellement vivante tellement vivante... Tu peux pas comprendre... »

Phillys savait bien que Gina pouvait délirer de temps à autre. Elle l'avait connue par Vivi. Oui, elles s'étaient beaucoup rapprochées après la mort de Vivi. Bien des fois, les rires inexpliqués de Gina, ses propos déroutants avaient désarçonné Phillys. Elle se disait que la sœur de sa bonne amie défunte était une femme folle. Alors, elle songeait sérieusement à prendre ses distances avant qu'il ne soit trop tard. Mais Gina lui passait un coup de fil pour une coiffure, un soin ou un défrisage et Phillys n'arrivait jamais à dire non. Tant bien que mal, elle se débrouillait pour éviter certains sujets. Elle détestait s'enfoncer dans les conversations où il était question des bébés de Gina, de ses grossesses à répétition. Phillys semblait réellement gênée. Elle regarda sa montre à la dérobée, puis Sharon qui avait la tête penchée sur son livre.

« Tellement vivante ! répéta encore une fois Gina.

— Au fait, qu'est-ce qu'il devient, Harry Barline ? T'as des nouvelles ? lâcha Phillys.

— Non, on n'en parle plus avec Max. Je crois qu'il s'est vraiment installé à la Martinique... C'est fou, mais à le regarder aujourd'hui, je trouve qu'il est quand même plus calme, mon petit Billy, non ?... »

Phillys jeta un coup d'œil à l'enfant qui s'était réveillé et s'avançait en grignant dans la cour.

« Ouais, peut-être... Allez, c'est presque fini ! Passe-moi les bigoudis », répondit Phillys.

Sûr, on avait eu de quoi espérer deux jours, mais Pita et ses pratiques louches n'avaient pas vraiment guéri Billy. Par moments, l'enfant était encore assez agité. Il aurait fallu chercher d'autres moyens de l'apaiser. Malheureusement, Gina n'avait pas cette énergie-là. Et Sharon le voyait bien, Gina était déjà lasse de son dernier-né. Souvent, sans réelle méchanceté, elle le repoussait lorsqu'il cherchait ses bras. Et s'il insistait, s'accrochait à ses jambes, se roulait par terre en hurlant, Gina ne montrait plus qu'indifférence.

Moi-même je n'osais pas trop le regarder
Il était perdu comme les autres
Déjà condamné
Terrassé
Avec sa tache de sang dans le dos
Il était mort depuis longtemps
Ainsi que tous les autres de la Ravine claire

Le 1er janvier 2009, Sharon avait bien compris. Encore une fois, sa mère attendait un bébé. Tout ce qui l'intéressait, c'était les bébés. Tenir un bébé contre son cœur, lui donner à téter. Quand son bébé se mettait à marcher et parler, se transformait en petit enfant, Gina n'en voulait plus, se trouvait embarrassée, cherchait le moyen de s'en débarrasser.

Le 20 janvier, l'Amérique allait procéder à l'investiture de son premier président noir et Sharon fêterait son anniversaire le lendemain de ce grand jour.

Comme chaque année, elle espérait que sa mère lui demanderait : « Dis-moi, Sharon, qu'est-ce qui te ferait plaisir pour ton anniversaire ? »

Même si elle n'avait jamais d'argent, Gina posait toujours la question à chacun de ses enfants. Au moins une semaine avant la date, on la voyait compter l'argent dans son portemonnaie, consulter ses relevés de compte avec fébrilité. Parfois, elle fondait en larmes — joie et peine mélangées —, se remémorant la douleur et le bonheur de son accouchement. Belle délivrance...

« Bon, déjà je vais faire un gros gâteau à la cacahuète... Mais qu'est-ce qui te ferait plaisir pour ton anniversaire ? »

Pour ses sept ans, Junior avait répondu qu'il voulait une bicyclette. Gina n'avait pas été fichue de la lui offrir. Et c'était Steeve qui lui en avait fait cadeau. Une belle bicyclette rouge achetée avec l'argent de ses trafics. L'année passée, Sharon avait dit qu'elle aurait bien aimé partir en vacances à la Dominique. Depuis le CP, chaque année, sa copine Betsy Brown l'invitait à venir passer des vacances à la Dominique où vivait la moitié paternelle de sa famille. Betsy s'exprimait davantage en anglais et en créole qu'en français. Là-bas, soi-disant, la grannie Lily Brown était prête à accueillir Sharon gratuitement. Du moment qu'elle payait son billet, elle n'aurait rien à débourser sur place. Sharon voulait parler anglais aussi bien que Betsy Brown. Son rêve était de vivre en Amérique, alors elle apprenait par cœur des pages de conversation courante, des listes de mots usuels, et dès qu'elle en avait l'occasion, elle courait chez Betsy Brown où tous parlaient anglais du matin au soir. « Je suis fière de toi, Sharon ! avait dit Gina en signant son carnet de notes. Dix-huit sur vingt en anglais. J'en reviens pas ! » Et sur son petit nuage, elle était allée prendre des renseignements au port de Bergevin, mais le billet de bateau coûtait trop cher pour sa poche. Quand elle était revenue, elle avait lancé : « Désolée Ti-Sha, mais je peux pas déshabiller Pierre pour habiller Charles... Me reste cinquante euros et j'ai même pas encore fait les courses du mois... »

Gina avait promis, Billy serait le dernier... Et elle avait recommencé...

Est-ce qu'elle avait rêvé ?

Sharon avait envie de se cogner la tête contre les murs. Cette année, son plus cher désir était de se réveiller de ce cauchemar. Elle avait mal au crâne et au ventre en même temps. Si elle avait eu du courage, elle aurait fait comme Tatie Vivi. Elle aurait pris un car jusqu'à Pointe-à-Pitre. Elle aurait grimpé les quinze étages de la tour Schoelcher et elle se serait jetée dans le vide.

Est-ce qu'elle aurait vu pleurer ses frères et sœurs ?

Mona serait-elle sortie de sa torpeur et des brumes de la mangrove pour venir lui dire adieu ?

Le directeur de la prison de Fonds Sarail aurait-il donné une permission spéciale à Steeve afin qu'il assiste aux funérailles de sa petite sœur ?

Et Grand-mère Izora ? Aurait-elle pensé que Sharon était morte sans souffrir ?

Était-il vraiment possible de passer de vie à trépas sans souffrance ?

Avait-on réellement la possibilité de revenir vivre une autre vie, une nouvelle vie toute lisse et bien propre ?... Recommencer tout depuis le début ?... Attraper une nouvelle chance de jouer sa vie ?... Se relever de sa condition de simple mortel, pathétique charogne ?...

Et qu'aurait pensé Gina en baisant le front glacé de Sharon ? Sans doute aurait-elle lâché son dicton favori en jetant un dernier regard à Ti-Sha, toute pimpante dans son cercueil, revêtue de sa plus belle robe : « Faut jamais blâmer une contrariété... » Et peut-être aurait-elle ri et caressé son gros ventre pour bien montrer qu'elle était déjà passée à autre chose, que Sharon était morte dans son cœur, comme Steeve, comme Mona... Elle perdait un troisième enfant mais c'était écrit. C'était dans l'ordre des choses...

X

Il y avait des années que Sharon savait ce que sa mère faisait pour avoir des bébés. Depuis sa naissance, elle avait enregistré des centaines de conversations, des milliers de mots qu'elle n'était pas supposée entendre ni comprendre et qui l'avaient — avant l'heure — fait entrer dans le monde complexe et inquiétant des adultes.

Jusqu'à la mort de Tatie Vivi, les femmes faisaient salon chez Gina. Envahissaient la cuisine, se posaient dessous la véranda, derrière la case, dans la courette. En ce temps-là, même si elle n'avait pas vraiment d'amie attitrée, on pouvait dire que Gina appréciait la compagnie de ses voisines. Elle se plaisait à leur offrir de grosses parts de gâteau — pour peu qu'on lui ramène des œufs, de la farine, du sucre et du beurre... Les après-midi, pendant que les enfants étaient censés s'instruire à l'école, elles se réunissaient pour tromper l'ennui, commenter les derniers rebondissements de la série TV en vogue. Se retrouver dans les déboires et déconfitures des unes et des autres. Se soustraire quelques heures à la solitude qui les étreignait, tel un amant jaloux.

Les visites avaient ralenti sec quand Vivi était partie. Gina avait commencé à rire à contretemps comme si quelque chose ne tournait pas rond dans sa tête. Et puis, il y avait eu l'arrestation de Steevy en avril 2007. Et là, Gina avait freiné son commerce de gâteaux. Elle pensait parfois qu'elle était surveillée et qu'on pourrait la mettre en prison. Elle avait aussi cessé de laisser ces femmes entrer chez elle à tout bout de champ. Mon Dieu, surtout celles de l'association des Mères conscientes de la Ravine claire qui lui avaient un jour ramené une dame du planning familial flanquée d'une assistante sociale fouineuse pareille à une mangouste et qui se mit à poser des questions ambiguës aux enfants et la critiqua sur sa manière d'élever sa marmaille, lui rappelant — sur un ton d'opprobre — qu'elle avait un fils en taule et une fille dans la drogue, et que — visiblement — elle était de nouveau enceinte. C'est sûr, alentour elles avaient toutes bavé. Les langues de serpent s'étaient déliées. Non, c'était fini. À partir de ce moment, Gina décida de garder sa porte d'entrée fermée. Plus envie de les fréquenter. Plus gaspiller son temps à les écouter se lamenter sur leur sort et la plaindre à cause de ses enfants, et déblatérer sur les unes et les autres — en général sur les absentes —, à médire sur les hommes, à les maudire après les avoir adorés. Phillys Bordage et sa mère étaient les seules personnes qu'elle acceptait — mais il est vrai que ces deux-là habitaient à des kilomètres de la Ravine claire et venaient de loin en loin, et toujours les bras chargés de provisions.

Quand les ambulanciers du *Salut du Sud* déposèrent Grand-mère au 18 de la rue Félix-Éboué, Gina demanda à Tonton Max d'aller avec elle chercher Bozonégro à Lareine. Ils le ramenèrent à la Ravine claire peu avant le coucher du soleil, attaché par une grosse chaîne à l'arrière du pick-up. Dans la grande maison vide, elle avait cherché les vieux chats qu'elle avait complètement oubliés durant l'hospitalisation d'Izora. Si elle les avait trouvés, Gina les aurait recueillis. Elle les aimait bien, ces matous. Mais, selon les voisins, Gaspard s'était fait écraser par un Mercedes Benz de vingt-sept tonnes, Melchior — le gâté de Vivi — avait dépéri après la mort de sa maîtresse, et Balthazar avait été préparé et mangé en colombo par des négros sans moralité. Bref, fallait voir Bozo dans le pick-up — tremblant sur ses pattes et la queue basse —, on aurait cru un rat des villes délocalisé à la campagne. Il passa la moitié de la nuit à japper comme un chiot sevré trop tôt, énervé après le feuillage des sangs-dragons qui bruissait dessous un quartier de lune. À un moment, excédée, Gina ouvrit sa fenêtre pour voir ce qui se passait. Bozo était en train d'aboyer et de grogner derrière un pantalon de Junior oublié sur la corde à linge et qui faisait le funambule à la belle étoile. D'abord, elle lui ordonna de se taire, mais il n'entendait rien, sans doute déboussolé par le déménagement. Alors, elle enfila ses savates. Traînant les pieds, elle sortit dans la nuit pour faire comprendre à Bozo ce qu'on attendait de lui. Et Wach ! Wach ! Elle lui asséna deux coups de ceinture sur l'échine. Pauvre bête ! Tout geignard, il alla se réfugier sous une tôle et, espérant le lever du soleil, il prit patience en se contentant de montrer les dents à une troupe d'ombres à longues queues et larges oreilles qui jouaient une pantomime endiablée sur le toit de la case. Le lendemain matin, Gina cloua un panneau — *Attention ! Chien méchant* — sur le portillon de bois. Écrits en lettres rouges, les trois mots du message étaient enfermés dans une bulle de bande dessinée et proférés par un molosse à la mine patibulaire peint en noir. Avec un peu d'imagination, on aurait presque pu croire qu'il ne s'agissait pas de gouache mais du sang frais d'une dernière victime mordue jusqu'à l'os. Sans équivoque, le panneau était destiné à stopper les indésirables.

Vivi n'avait pas seulement été la sœur de Gina, elle avait aussi été sa coiffeuse personnelle et surtout sa principale confidente. Et lorsque Gina se confiait dans sa case de la Ravine claire, tout ce qui avait des oreilles était là pour entendre, peser et engranger les informations sur ce qui se cachait dans le cœur des femmes, sur ce qui entravait leur corps, sur la jouissance dans les bras des hommes, sur les menstrues, les plaisirs solitaires, les accouchements, les fausses couches, sur les manières de garder un homme, de l'asservir, de le tromper, de s'en débarrasser, sur les rivalités entre femelles, les façons de débusquer les maîtresses, de parer les coups bas, de flairer les mensonges, de ruser, composer, de prendre patience grâce aux bonnes prières, de supporter les coups comme les mères, d'endurer...

Sharon avait longtemps jalousé Tatie Vivi.

Lorsque les sœurs se retrouvaient, dans la cour ou dessous la véranda, elles s'enfermaient dans un cocon où il n'y avait place que pour elles deux. Très tôt, Sharon s'était préoccupée de leurs conversations. Dès sept, huit ans, elle avait appris à se rendre invisible d'elles. Se poser dans un coin, à proximité, sans bouger, à portée de leurs voix. Faire semblant de lire, d'écrire, d'apprendre une récitation, une leçon. De temps à autre, si l'une ou l'autre se rappelait sa présence, elle fixait la fillette un instant, l'air perplexe. Sharon sentait alors le poids de ce regard tomber sur elle et puis l'envelopper avant de s'en détacher et voleter ailleurs, aussi léger qu'un papillon. À ces moments, la petite gardait un visage inexpressif, se fondait dans le décor comme si elle n'était pas plus qu'un arbre, un animal domestique, une poupée abandonnée, un manche à balai lâché contre un mur. Au fil du temps, elles finirent par s'habituer à sa présence silencieuse de nature morte.

Une fois, Vivi était descendue à la Ravine claire en compagnie d'une amie cliente qui venait d'être plaquée par son amoureux. Sharon devait avoir huit ans. Elle ne se souvenait pas du nom de la dame, mais elle n'avait pas oublié son visage, ni ses paroles, non plus sa coiffure spectaculaire. Un véritable casque de jais qui la faisait ressembler à Diana Ross — du temps des *Supremes* et des années glorieuses de la Motown. Au lieu de se morfondre, et pour se consoler de cette sale rupture, la négresse avait décidé de fêter l'événement. Quand Gina lui proposa une boisson, elle demanda un punch coco avec un glaçon. En moins de deux, elle siphonna la bouteille et entama la flasque de rhum vieux Montebello que Gina réservait d'ordinaire à ses visiteurs mâles. Celle-là avait le rhum gai. Plus elle buvait, mieux elle riait. Elle supplia Vivi et Gina de trinquer avec elle — et pas avec un soda. Elles n'étaient pas coutumières du fait, mais elles avaient obtempéré, pour faire plaisir à l'amie cliente, la soutenir dans son chagrin. Au bout d'une heure, les trois femmes étaient complètement ivres. Peu à peu, Sharon les vit se transfigurer sous ses yeux, gagnées par un état d'euphorie qui frisait l'hystérie et les rendait toutes trois plus belles et théâtrales. Elles semblaient habitées par des créatures un peu fantastiques, cousines des diablesses tirées d'un conte de Grand-mère Izora.

Assises les cuisses ouvertes, à rire sans retenue, et à boire sans soif. À un moment, l'une d'entre elles tira des cigarettes d'un paquet. Elle fit la distribution. Alors, elles se mirent à jacasser crûment derrière les volutes de fumée, usant de mots lestes et précieux pour dévoiler des pans de leur intimité. Et Sharon les écoutait passionnément, à la folie et, les yeux fixes, elle regardait devant elle comme si ses pensées voguaient ailleurs. En vérité, la fillette voyait toutes les images qui naissaient de leurs propos, là devant elle, s'enfilant dans les ronds de fumée qui montaient au ciel et empesaient les nuages. Un vrai cinéma ! Et il y avait des corps et des visages, des hommes et des femmes qui s'empoignaient dans des combats où l'amour et la haine se confondaient dans les mêmes sublimes douleurs. Et puis, l'amie de Vivi expliqua comment elle se caressait depuis qu'elle n'avait pas d'homme.

« Ben oui, je préfère m'occuper toute seule au lieu d'aller choper des maladies ou bien dégotter un autre macaque qui me fera voir de la misère. »

Les deux sœurs se turent d'un coup. Elles avaient la même enfantine expression d'étonnement : les yeux écarquillés, les sourcils haussés et les lèvres pincées. Cela ne dura pas — Vivi pouffa de rire et Gina lâcha une série serrée de aïe ! aïe ! aïe ! appuyés. Cela signifiait que les paroles à suivre allaient être pimentées. Et, joignant le geste à la parole, l'autre entreprit de se caresser l'entrecuisse et, soudain, comme si une guêpe l'avait piquée, elle écarta d'un coup de reins sa chaise, et elle commença à se trémousser en lâchant de drôles de gémissements.

La journée se retirait de la Ravine claire. Dans le ciel, les nuages blancs allaient devant, poussés par de lourdes masses grises qui assombrissaient la cour au fur et à mesure. Fascinée, Sharon s'était ratatinée dans son coin. Regardait en biais les mouvements saccadés de la femme qui mimait la gestuelle solitaire. Et ça ressemblait à une danse guerrière qui aurait procuré la force de lutter et le pouvoir de vaincre à celle qui part au combat. Et la bougresse grignait, tandis que les deux autres se tapaient les cuisses et riaient aux larmes, s'essuyant les yeux. Venant de la case, on entendait les bruits de la télé, les rires et les cris des enfants. La lumière allumée dans la cuisine enjambait la fenêtre et tombait sur son livre tout en la maintenant dans l'ombre. Sharon n'en demandait pas davantage.

« Vous voyez ! J'ai pas besoin de m'embarrasser d'un homme ! s'écria l'amie de Vivi en stoppant net sa gesticulation. Dites-moi que vous l'avez jamais fait ! Allez ! Racontez pas d'histoires. On se dit tout aujourd'hui, c'est le jour de Sainte Vérité ! Comment ! Vous avez jamais entendu parler de Sainte Vérité ! Elle aurait mené une vie très très chaste... Non, non, non ! Faut pas mentir ce jour-là !... Oui, un seul jour de vérité contre trois cent soixante-quatre jours de mensonges... Et toi, Gina ! Allez ! Toi, confesse-toi, tu préfères que l'homme fasse le travail ou tu pourrais te contenter toute seule ?

« Non, moi je veux un homme ! répliqua Gina. Je veux un homme qui me donne un bébé, sinon c'est pas la peine. » Et elle s'esclaffa.

« Hou ! Hou ! Et pourquoi tu changes tout le temps ? Tu pourrais garder le même... », demanda la femme, la mine sévère. Elle semblait soudain intriguée par sa propre question, comme si elle était sortie de sa bouche sans qu'elle ait eu le temps de la penser.

« Un bébé ! Un bébé ! Un bébé ! » fit Gina en tapant des pieds. On aurait cru une petite fille capricieuse qui réclame une énième poupée.

« O.K. ! O.K. ! T'énerve pas ! Pourquoi tu gardes pas toujours le même bougre ? Au fond, qu'est-ce que tu cherches ? Y en a pas un que tu regrettes, que t'aurais voulu garder ? Allez, c'est jour de vérité, Gina !

— Moi, j'aime ça, faire l'amour », glissa Vivi en baissant la voix. Elle avait l'air béat. « Non, non, je peux pas me contenter de me caresser toute seule. Je trouve ça triste. J'ai besoin de sentir la langue d'un homme sucer ma fente. J'ai besoin de l'homme. J'ai besoin de sentir le poids de son corps sur le mien. Oh ! Si vous saviez comment je deviens folle dans les bras d'Harry Barline...

— Moi, ce que j'aime, c'est le sentir jouir en moi », coupa Gina.

Il y eut un silence. Un moment de flottement, le temps que les images se mettent en place.

« Et quand ils sont partis, qu'est-ce que vous faites, les filles ? Vous pleurnichez, vous vous traînez à leurs pieds ! s'exclama la copine de Vivi. Faut pas trop aimer les hommes... »

Et Gina dit qu'elle était d'accord. « Non, faut pas trop les aimer, les hommes avec leur jouissance. Ils vous rendent dingues. » Mais ce qu'elle désirait par-dessus tout c'était des bébés...

Non, elle ne cherchait pas tant que ça un homme... Elle s'en fichait vraiment des hommes... Des bébés, elle voulait des bébés... Elle ajouta qu'elle adorait porter et mettre au monde des bébés. Non, elle n'aimait pas vraiment les grands enfants.

Et elle le répéta deux fois.

« Non, je n'aime pas les grands enfants. Non, je n'aime pas les grands enfants... »

Sans rire, elle déclara ensuite que si elle avait eu un pouvoir magique, elle aurait demandé que ses bébés ne grandissent pas. Qu'ils restent à l'état de bébés à jamais. Avec leur odeur de lait et de lotion. Avec le petit pipi et le gros caca dans la couche. Avec les areu areu ! et les risettes ! les biberons et les bouches sans dents...

Peu charitable dans son retour d'alcool, l'amie persifla.

« Tu verras jamais ça ! Même pas en rêve... Ma pauvre, tu sais que c'est pas possible... Alors, t'es bien obligée de t'en occuper quand ils se mettent à grandir... Être mère, c'est pour la vie...

— Oui, je suis bien forcée, répéta Gina. Mais

je les retiens pas... Après, ils font ce qu'ils veulent... Je peux pas m'obliger à...

— Et t'as fini, là ? Six gosses, c'est déjà pas mal... T'as bien l'intention d'arrêter un jour ? » coupa l'amie cliente. On aurait cru qu'elle s'adressait à une toxicomane.

« Je sais pas... Je suis pas la seule à décider... Qu'est-ce que tu crois ?... »

Ce fut à ce moment que Vivi entraperçut Sharon, assise avec son livre sous la fenêtre de la cuisine, tout près. Elle souffla quelques mots à l'oreille de Gina. Et toujours égayée par le rhum, celle-là se mit à rire et répondit : « Non, non, elle écoute pas et d'ailleurs, elle peut pas aller apprendre ses leçons dans sa chambre, elle a pas de chambre... »

Quand sa mère l'appelait — principalement pour rendre un service, apporter de l'eau, ramener une serviette, un tabouret, Sharon faisait toujours semblant de sortir d'un pays lointain, un peu hagarde. Il y avait des années qu'elle pratiquait l'exercice. Souvent, on devait crier son nom à plusieurs reprises avant qu'elle réagisse. Alors, elles avaient l'impression de la tirer d'un rêve éveillé.

Non, Sharon n'était pas comme ses autres enfants, et Gina remerciait Dieu chaque jour. Tous les autres, elle avait le sentiment de les avoir ratés... En quittant leur état de bébés, ils se transformaient immanquablement. Pendant que leurs corps s'allongeaient, ils apprenaient à parler et à se tenir debout tout seuls. Et ils ne tardaient pas avant de devenir monstrueux, querelleurs et embrouilleurs, sournois, voraces, couillons, décevants, méchants... Parmi tous ses enfants, oui, Sharon était la seule qui serait peut-être sauvée.

Ti-Sha était avant tout une solitaire. Elle travaillait bien à l'école. Elle ne demandait rien. Ne se plaignait jamais. Se contentait de ce que sa mère pouvait lui donner. Mais elle savait surtout devancer les désirs de Gina, s'occuper de ses petits frères et sœurs, sans qu'on ait besoin de lui répéter cinquante fois ce qu'on attendait d'elle. Sharon était serviable et polie. Gina l'avait vue changer d'humeur en de rares occasions. Toujours à cause des bébés... Cela avait commencé avec Perle. Sharon avait presque quatre ans. À la naissance de Perle, Sharon avait cessé de parler et s'était remise à pisser dans sa culotte. Avec son air malin de Danny Glover, Jean Rocasse avait dit qu'on appelait ça : la régression, et que ça allait passer. Et puis, il y avait eu Judith, en novembre 2004. Cette année-là, Sharon avait sept ans. Quand sa mère était rentrée à la maison avec le bébé dans les bras, Ti-Sha avait couru droit devant elle, criant comme si elle avait vu le diable en personne habillé de toutes ses flammes, et elle s'était réfugiée sous le lit de Gina. Était restée serrée là toute la journée, sans boire ni manger. Avait réapparu le soir, les yeux bouffis. Et elle s'était jetée sur sa mère et avait bourré son ventre de coups de poing. En août 2007, quand Billy était arrivé à son tour, Sharon s'était carrément mise en colère et Gina avait dû promettre que c'était le dernier, qu'elle n'en ferait pas d'autre.

« Je te jure, Ti-Sha. Billy est vraiment mon dernier bébé... Et d'ailleurs, j'ai même pas fait exprès cette fois... »

Dans son cœur, Sharon avait demandé la mort de sa mère.

Et elle avait recommencé. En 2009, elle accoucherait d'un nouveau bébé. Le huitième. Le dernier...

Qu'en aurait pensé Vivi ?

Quelques jours avant sa mort, Vivi était là, dans la cour, à la Ravine claire.

Qui aurait pu dire que ses jours étaient comptés ?

« On aurait dû te prénommer Régina, souffla-t-elle à sa sœur aînée, car tu es une reine, une reine mère.

— Et, toi, comment tu aurais pu t'appeler ? »

Gina fit semblant de réfléchir un instant.

« Non, cherche pas... Je veux pas un autre prénom. Viviane, c'est bien... Vivi... À chaque fois qu'on dit Vivi, on me rajoute deux vies... Ça me laisse des chances de recommencer ce que j'ai loupé... »

Sur ces mots, Vivi tomba dans un trou de silence. Se mit à fixer d'un air dubitatif les pointes de ses escarpins.

« Qu'est-ce qui t'arrive ? demanda Gina.

— Je voulais tellement me marier au mois de décembre, murmura Vivi.

— Ah bon ! Et pourquoi, c'est si pressé, t'es enceinte ?

— Mais non, tu sais bien, j'ai trente ans cette année. Si je laisse passer 2006, c'est fini pour moi. Je voulais pas me marier après trente ans. »

Gina sursauta. « Pourquoi ? Qu'est-ce que ça peut faire avant ou après trente ans ? Et moi ! Regarde-moi ! Avec mes six enfants de cinq pères différents !

— C'est pas pareil, souffla Vivi.

— Et ton Harry, qu'est-ce qu'il en pense ?

— Il était d'accord et maintenant il veut prendre son temps... On dirait qu'il a changé...

— Moi, je me méfie des hommes... Tu crois qu'il a vraiment envie de se marier ?

— Je croyais... Je sais pas... Phillys me dit de pas le bousculer...

Il y eut soudain un abîme dans la voix de Vivi.

Sharon n'avait pu entendre la suite de la conversation. Gina l'avait envoyée à la boutique, pour acheter de la lessive, un paquet de *Génie sans bouillir.*

Et puis, Vivi était morte.

XI

Pour avoir des bébés, Gina invitait les hommes à venir chez elle, à la Ravine claire, au numéro 18 de la rue Félix-Éboué. Quand elle jetait son dévolu sur un homme, elle l'attirait dans sa chambre. Dès qu'elle avait fermé la porte derrière elle, ils se mettaient tous deux au lit. L'homme se couchait sur sa mère. Sharon en avait vu plus d'un entrer là et repartir une heure plus tard, avec une sorte de feu dans le regard et une allure cow-boy dans le pantalon.

C'était de cette façon qu'elle avait eu Max Barline, le père de Billy.

Max était le frère d'Harry.

Deux mois après l'enterrement de Vivi, Gina chercha fébrilement les Barline dans l'annuaire. En apprenant le suicide de sa sœur, elle avait été juste sonnée. Elle n'avait ni crié ni pleuré. Ce qui était arrivé ne ressemblait pas vraiment à la réalité. On aurait plutôt cru une fiction parmi tant d'autres ou bien les images glaçantes d'un film amateur, le 11 septembre 2001, à New

York. Elle songea aux victimes du World Trade Center qui se jetaient par les fenêtres pour échapper aux flammes. Des jours durant, à la télévision, elle avait revu ce spectacle sidérant. Les malheureux, on aurait dit des poupées, des mannequins de plastique. On avait peine à le croire, mais ces images étaient réelles, inscrites dans la réalité brute. Il s'agissait bien d'êtres de chair et de sang, des êtres humains... Ils étaient semblables à tous ces morts que montraient les reportages télévisés. Ils passaient de vie à trépas. Ils mouraient, fauchés dans des guerres qu'on disait nécessaires et propres. Ils mouraient aussi de faim, de désespoir, de froid, de soif. Ils mouraient, sous des coups de vent assassins, noyés dans des eaux meurtrières, brûlés dans des feux sans pardon. Ils mouraient broyés, décapités, démembrés par des machines tellement intelligentes. Et on regardait tous ces morts avec stupeur et fascination...

Oui, Vivi était maintenant l'un d'entre eux.

Une morte.

Combien de temps prenait-on pour passer de la vie à la mort lorsqu'on tombait du quinzième étage, du soixantième étage ?

Gina avait fait ce qu'on attendait d'elle. Avait pris un car jusqu'à Pointe-à-Pitre. Suivi les flèches de l'institut médico-légal. Était descendue dans un sous-sol glauque. Avait marché courbée sur sa douleur dessous la lumière électrique. Et devant témoins, on avait ouvert un tiroir. Et Vivi était là. Rangée dans ce grand tiroir d'inox. Oui, le corps de sa petite sœur Viviane Bovoir était là. Le beau visage était à peine esquinté mais la tête bien cabossée. Du sang noir coagulé dans les cheveux. Bras et jambes cassés, couverts de meurtrissures.

Gina n'avait pas pleuré.

Jamais pleuré la mort de Vivi.

Comme si elle était l'héroïne d'un thriller et qu'il lui fallait avant tout garder son sang-froid. Dans le journal, sans s'effondrer, elle avait lu l'article titré : *Chagrin d'amour*, encore un suicide. *Le saut de l'ange d'une Guadeloupéenne.* Est-ce que cette Guadeloupéenne était bien la même personne qui envisageait d'ouvrir son salon de coiffure deux mois plus tard, qui collectionnait les chaussures et rêvait d'un mariage de princesse ?

Vivi était-elle déjà partie ?

Lorsque Églantine apprit la mort de Vivi, elle s'empressa bien sûr de présenter ses condoléances, mais demanda surtout à Gina de suivre quelques recommandations d'extrême importance. En effet, dans les cas de mort violente, les âmes n'avaient pas le temps de se préparer. Surprises dans leur élan, le souffle coupé net, elles rechignaient à quitter la sphère des humains. Elles traînassaient, éprouvant le besoin de terminer une tâche, dévoiler un secret, raccommoder des gens fâchés, démasquer un criminel, ou simplement dire adieu à un proche. D'une manière ou d'une autre, on devait les convaincre de partir. À noter qu'il était sage de pleurer modérément afin de ne pas les retenir car elles avaient vite fait de se croire indispensables. On conseillait également de ne plus prononcer leurs noms à haute voix, pour donner à penser qu'on les avait vraiment oubliées. Et puis, si elles persistaient à rester là, à vous épier, à vous souffler dans le cou et à entrer dans vos rêves, fallait les chasser d'autorité, en brûlant de l'encens et en récitant des prières appropriées.

Gina avait reçu les parents et amis de la façon la plus digne qui soit. Tout le temps qu'avaient duré les funérailles, elle avait veillé à se tenir droite. Et elle avait exigé des enfants qu'ils fassent de même. « Tenez vous droits ! On enterre votre Tatie cet après-midi... Je veux pas vous voir vous chamailler, vous avez bien compris ! Et je vous préviens, j'ai pas envie d'entendre les gens me critiquer par rapport à vous. Sharon, je compte sur toi pour tenir les petits... Steeve, remonte ton pantalon... Mona, arrête de regarder à gauche et à droite comme si t'attendais quelqu'un... »

Si la mort de Vivi l'avait affectée, Izora n'en avait rien montré. Elle venait de perdre sa cadette, la Tantante Chimène qui, rappelée par le Seigneur, était morte dans d'incommensurables souffrances. Embrumée par cet insupportable souvenir, Izora semblait émerveillée par la soudaineté de la mort de Vivi — si brutale et spectaculaire — et elle le pensa tellement fort qu'elle finit par le dire à haute voix. « Même la plus belle des plus belles passe un jour de vie à trépas... Oui, Seigneur, ma fille a bien fait de choisir la mort sans souffrance... » Hormis cette glissade de langage qui en surprit plus d'un, Izora s'occupa des enfants de manière exemplaire. Elle les avait poussés l'un après l'autre devant le cercueil de Vivi, afin qu'ils prennent le temps de la regarder dans sa belle mort, puis de baiser son front glacé en lui disant adieu.

Quand vint son tour, Gina jeta un bref regard à sa petite sœur allongée dans le cercueil. À ce moment-là non plus, elle ne pleura pas. Elle se contenta de murmurer : « Au revoir, ma Vivi... À bientôt... » De toute façon, Vivi avait toujours dit qu'elle disposait de plusieurs vies. Et puis, on mit le cercueil en terre. Et ils la laissèrent là. L'abandonnèrent là. Dans cette fosse froide et noire et profonde. L'absence de Vivi... Le surlendemain, Gina se surprit en train de marcher vers le téléphone. Elle songeait appeler Vivi, lui demander de descendre à la Ravine claire pour lui défriser les cheveux...

Dans les feuilletons télévisés, les gens ne restaient pas les bras croisés à attendre que l'oubli s'empare de leur chagrin. Non, ils cherchaient à remonter le fil de l'histoire, ils engageaient un détective privé, achetaient une arme ou cassaient leur tirelire pour embaucher un tueur à gages... Ils ne renonçaient jamais. Même après des années, comme dans *Cold Case*, ils continuaient à enquêter pour mettre la main sur le coupable ou l'assassin...

Il y avait bien des Barline ici et là, surtout en

Grande-Terre, vers Sainte-Anne et Port-Louis, mais aucune trace d'un abonné Barline — prénommé Harry — domicilié en Guadeloupe. Sûre de son bon droit, Gina composa donc des numéros au hasard et débusqua cinq cousins Barline éloignés avant de trouver Max Barline, le frère d'Harry. Comprenez, il lui semblait tout à fait légitime de demander des explications à la famille Barline.

Max avait su trop tard ce qui était survenu. Il avait eu du mal à accepter l'idée que son frère était la cause de ce gigantesque désespoir qui avait contraint une si belle jeune femme — Viviane Bovoir — à choisir de quitter le monde du jour au lendemain. C'était comme si Harry avait tué Vivi de ses propres mains, l'étranglant ou lui tranchant la gorge. S'il s'était trouvé à la place d'Harry, Max assura qu'il aurait eu le sentiment de porter en permanence le cadavre de cette pauvre fille sur les épaules. S'il en avait été averti à temps, il jura qu'il aurait commandé une gerbe de roses blanches et se serait déplacé pour les funérailles. Usant de mots simples, il expliqua de quelle manière il avait appris la triste fin de Viviane Bovoir.

Sa mère, Clarissia Barline, avait par hasard entendu le nom des Barline traîner au marché. Entre les étals de fruits et légumes, les gens racontaient qu'on venait d'enterrer une demoiselle de Lareine qui s'était jetée du haut d'une des tours de Pointe-à-Pitre, à cause d'un certain M. Barline. Quel désastre ! Son acte désespéré était dû à une déception amoureuse. Ce jour-là, guillerette, Clarissia était sortie acheter un bouquet de légumes à soupe, un paquet de cives et des citrons verts pour son court-bouillon de poisson, et puis une main de bananes jaunes, aussi une igname jaune et trois patates douces. Elle était rentrée du marché avec son panier vide, tétanisée, une migraine installée pour deux jours et un poids de plomb sur le cœur.

Clarissia et Jacques Barline avaient trois enfants : Max, Harry et Bertin. Le père était un silencieux qui parlait le plus souvent avec les yeux. Atterrée, une main sur le front et l'autre sur la nuque, Clarissia lui rapporta ce qui se disait en ville. Avec deux mots et quatre mimiques, Jacques lui enjoignit de convoquer leurs trois fils le dimanche suivant, dans l'après-midi. Au lieu du gâteau à l'ananas qu'elle présentait d'ordinaire à cette heure, Clarissia posa sur la table un quart de page soigneusement découpé dans le journal local. Au-dessus de la photo de Viviane Bovoir était écrit : *Chagrin d'amour, encore un suicide. Le saut de l'ange d'une Guadeloupéenne.* Bien évidemment, le papier ne mentionnait pas le nom Barline que la rue s'était déjà approprié et qui passait de bouche en bouche, amer, poivré, pimenté, bref... assaisonné de colère et mépris. Sous le regard aiguisé de Clarissia, les trois frères prirent le temps de scruter la photo de Vivi et de lire l'article de la première à la dernière ligne. Ainsi que les deux autres, Harry ne trembla pas et déclara que la personne en question lui était complètement étrangère. Bien sûr, Max la reconnut. Il l'avait vue en compagnie d'Harry qui — trop fier — n'avait pas manqué de lui présenter sa nouvelle conquête. Malheureusement, à cette époque-là, Max n'était pas lui-même. Depuis des années, il se trouvait emprisonné dans une geôle de douleur. Et tout ce qui se passait en dehors de son chagrin l'intéressait dans une moindre mesure. Ce jour-là, il ne dénonça pas Harry, secouant la tête par trois fois comme l'aurait fait Judas Iscariote.

Au téléphone, lorsque Gina lui confia sa peine, Max était déconfit. Il versa alors plus de larmes qu'il n'en fallait pour amnistier toute la famille Barline, et puis il présenta ses condoléances en même temps que des excuses. Oui, il reconnaissait son indifférence passée. Il semblait sincère et ne cessa pas de jurer qu'il en avait fini avec ce frère-là. Harry avait quitté la Guadeloupe après la réunion de famille. Parti vivre à la Martinique...

Ils prirent rendez-vous. Il fallait faire connaissance au plus tôt. Avec des mots, raccommoder l'histoire de Vivi, apprivoiser le chagrin...

« J'ai tellement honte, madame Bovoir. Si j'avais été à la place d'Harry, je crois que je me serais pendu..., répétait-il en faisant mine de se nouer une corde autour du cou. Si je vous disais... Après nous avoir fait lire l'article, ma mère a regagné la cuisine. Elle est revenue avec un grand couteau et le gâteau à l'ananas du dimanche. Elle a découpé des parts qu'elle nous a servies elle-même dans des assiettes à dessert. Après, on a bu un jus de cythère. Y avait un silence, vous pouvez pas imaginer, madame Bovoir. Les mains d'Harry tremblaient. J'entendais Bertin déglutir. J'ai fermé un instant les yeux et j'ai vu des flammes. Le père s'est raclé la gorge et il a dit : "Tant qu'on a la vie, on ne finit jamais de voir. J'ai soixante-dix-neuf ans et vous ne me laissez pas même vieillir en paix..." Je ne l'avais jamais entendu parler si longtemps. C'était sûr, ils savaient : un menteur se cachait parmi nous. En voulant redéposer son assiette, Harry a fait un faux mouvement et son verre est tombé par terre. Il restait un fond de jus dans son verre. S'est répandu sur le carrelage blanc et a dessiné le profil d'une femme avec un Afro. On aurait cru votre sœur, Viviane... Notre mère n'a rien dit. Elle tenait toujours le manche de son couteau serré dans le poing et je me suis dit qu'elle pourrait planter la lame dans le cœur d'Harry pour tout le chagrin qu'il causait à notre père. Mais elle s'est levée. Est partie chercher ce qu'il faut pour nettoyer. Harry ressemblait à un bandit pris en flagrant délit et dénoncé par le fantôme de sa victime. Afin de se donner une contenance, il a tenté de ramasser quelques bris de verre. Alors, comme si le sang devait être versé, il s'est coupé le doigt. Là, il a pris son air de petit garçon et il a appelé au secours : "Manman..." pour qu'elle accoure. Elle est revenue de la cuisine sans se presser, avec un balai, une pelle et une serpillière et, d'une voix froide, elle a répondu : "C'est pas grand-chose, Harry. T'en verras d'autres..." On aurait cru qu'elle lui jetait un sort. Il a essayé de rire. Et personne ne s'est laissé embobiner dans ce rire de braque. En fin de compte, il a mis son doigt dans la bouche et il a sucé le sang qui gouttait de l'entaille. »

Gina était captivée. Elle avait l'impression d'être Mariska Hargitay, ou plutôt Olivia Benson, en train de recueillir la déposition d'un témoin capital.

« Très vite, la vérité a éclaté et s'est propagée partout où le nom des Barline est connu. »

Et d'un coup, Gina se sentit chavirer... Voilà que ça la reprenait. Oui, sans conteste, elle l'écoutait avec la même attention, mais des bouffées d'amour montaient en elle. Voilà que ça recommençait et elle était déterminée comme une armée partant au combat. Envie de l'embrasser, de le toucher, de sentir son corps d'homme tout contre le sien... Lui donner ses tétés à manger... Envie de le sentir vibrer en elle, le visage déformé par l'effort de jouissance...

Envie d'un bébé de Max Barline...

Elle expira une grande goulée d'air.

Il parla longuement. Pour toute la famille Barline, même les cousins qui vivaient en France depuis une trentaine d'années, Harry était désormais considéré comme un individu peu fréquentable. Et sans doute avait-il fui la vindicte familiale puisqu'il s'était exilé en Martinique.

« Et votre père ? » demanda Gina, tentant de contenir ses mains.

Non, ni Max ni Bertin n'en avaient jamais discuté avec leur mère. Cependant, Max était maintenant persuadé que son père savait qu'Harry était celui qui avait sali son nom. En effet, depuis ce fameux goûter du dimanche, le vieil homme avait décrété qu'il ne s'aventurerait plus à l'extérieur. Il avait trop honte. Rien à faire... Il ne digérait pas cette sombre histoire. Pour preuve, son médecin traitant lui découvrit un ulcère de l'estomac peu après ces événements. Ancien employé de bureau à la préfecture, il avait fait des projets pour ses quatre-vingts ans : voyager, payer une croisière à Clarissia. Non, rien à faire... Il ne se relevait pas de cette infamie. Son nom... Le beau nom des Barline qu'il avait reçu de son propre père à l'âge de dix ans. Oui, il était fils naturel de M. Barline qui avait attendu dix ans avant de le reconnaître de son sang... le récompensant par ce cadeau très précieux parce qu'il avait été méritant, travaillait bien à l'école. Auparavant, il s'appelait Jacques Goret — de son patronyme maternel. Jacques Goret ! Vous imaginez... Il avait promis à son père de toujours honorer ce nom, le beau nom des Barline, pas le souiller, mais le respecter. Barline... Il s'appelait Jacques Barline. Et il avait mesuré son temps pour choisir l'épouse à qui il donnerait ce nom. Clarissia Eusange avait été l'élue. De leur union naquirent trois fils. Et il leur avait toujours dit, en trois mots, de respecter ce nom, le beau nom des Barline.

« Alors, vous comprenez, madame Bovoir... Maintenant, ma mère dit qu'il se laisse mourir. »

Max se tut, joignit les mains et ferma les yeux, tandis que Gina hochait la tête sans discontinuer.

Puis il reprit : « J'ai tellement honte...

— Mais non, faut pas dire ça, coupa-t-elle. C'est pas votre faute ce qui est arrivé, monsieur Barline... Moi, je voulais juste savoir, vous saisissez...

— Misyé pwéféwé foukan Matnik... Mais un jour ou l'autre il faut payer le mal que tu as fait... J'ai prévenu Harry... Dans un an, vingt ans, cinquante ans... Et si ce n'est pas toi qui payes, ce sont tes enfants... Pour l'instant, il se la coule douce. Il m'a raconté qu'il ne pouvait rien dire pour l'instant mais que je finirais par comprendre... Un jour, je comprendrais et je lui dirais merci... Et il a dit qu'il s'est acheté une conduite. Il veut se ranger, arrêter avec sa vie de bordée. À ce qu'il paraît, il a trouvé un bon travail à Fort-de-France... Un jour ou l'autre, tu es obligé de rentrer chez toi. Il finira par payer son crime... »

Gina renchérit : « Si on paye pas dans ce monde, on rend des comptes là-haut... » Puis elle enchaîna, d'une voix panachée : « On peut se tutoyer si tu veux, tu peux m'appeler Gina... On aurait pu être apparentés, si Vivi et Harry avaient... »

Du revers de la main, elle essuya alors une

poussière dans son œil. Max lui tendit aussitôt un mouchoir, croyant qu'elle versait une larme.

Max avait un cœur gros comme ça et beaucoup d'amour à donner. Et, sans doute cela était-il inscrit quelque part, Gina tomba sous son charme en moins de temps qu'il ne faut pour le lire. Max Barline lui demanda pardon, mille pardons pour la scélératesse d'Harry. Et ce même jour, il lui prit la main, lui confiant qu'il était seul. Seul au monde, sans femme ni enfants. Elle avait ri. Ignorant son rire, il continua, racontant que cela faisait des années qu'il n'avait pas causé à une femme. Il avait une peau noire lustrée, les yeux pourvus de longs cils recourbés, et aussi — assura-t-il — une grande maison en dur.

XII

Le 12 novembre 2006, il l'invita au restaurant, afin de parler de Vivi qu'il avait rencontrée pendue au bras d'Harry.

« Ça se voyait que votre sœur l'aimait passionnément ! Mais Harry n'est pas sérieux. Il a toujours couru après les filles... Cette année-là, il sortait avec trois femmes en même temps... Y en avait une qu'il appelait Lulu, une autre Fifi et y avait Vivi, votre malheureuse sœurette Viviane... Une fois, il l'a emmenée chez moi. Ils revenaient du cinéma. Je me souviens, elle portait une robe rouge et des chaussures noires à hauts talons. Elle avait une coupe Afro et une fleur blanche piquée dans les cheveux comme cette chanteuse noire américaine... J'ai oublié son nom... Je lui ai dit "Oh ! Viviane, t'as une belle fleur dans les cheveux mais toi-même tu ressembles à une orchidée. Surtout, laisse personne abîmer tes pétales..." Elle a souri, je me souviens. Elle et toi, vous avez le même sourire... Alors, Harry s'est fâché. Tu te rends compte, il a cru que j'essayais de la draguer... Et ils sont partis. Je l'ai jamais revue... Mais la veille, il était en compagnie d'une autre copine... Une qui avait vécu en France et qui avait déjà un enfant... Je lui ai dit, Harry, tu joues trop avec le cœur des dames, faut que t'arrêtes ce petit jeu... Il m'a fait comprendre que je devais me mêler de mes affaires... »

Gina s'était mise en beauté pour son rendez-vous avec Max Barline. Phillys l'avait coiffée genre Beyoncé Knowles, frange et longs cheveux châtains dorés en cascade sur les épaules. Elle portait une robe fuchsia décolletée et des chaussures à brides blanches assorties à son sac à main. À l'apéritif, Max prit un punch et elle commanda un planteur. L'alcool aidant, elle se mit à parler de ses bébés. Ou plutôt de ses enfants. Elle en avait six...

« Je sais pas ce que j'en ferai ! Si je pouvais tout recommencer, effacer des morceaux de ma vie, je demanderais pas la permission deux fois. C'est dingue, quand ils sont là, tordus, on ne peut plus revenir en arrière. Ce qui est fait est fait... Et si c'est raté, y a plus qu'à prendre son mal en patience, les regarder se gâcher sans trop bouger... L'aîné de mes enfants est un *bad boy*, on l'appelle le Boss à la Ravine claire, la deuxième est une droguée qui passe plus de temps à traîner dans la rue qu'à la maison... Elle a déjà un enfant, une pauvre petite dont elle ne s'occupe même pas... Je sais pas ce qu'ils vont devenir, tous... J'ai pas la force de m'occuper d'eux. J'aurais voulu qu'ils disparaissent de ma vue...

— Et les autres ?

— Quels autres ?

— Les quatre autres !

— Ah oui ! La troisième, c'est Sharon. Elle est gentille, pas difficile. Elle m'aide de son mieux et me cause pas de soucis, pour l'instant... Après, y a Junior, celui-là fait déjà le coursier à vélo pour son grand frère, tout ça finira mal... La cinquième s'appelle Perle, elle a pas encore sept ans mais pèse déjà quarante-cinq kilos. Et puis, Judith... Elle est malchanceuse comme son père qui s'est tué en camion. Non, il n'a pas eu le temps de connaître sa fille... Et c'est tout... »

Max se crut obligé de lui présenter ses condoléances pour Raymond Sisal.

« Non, je le connaissais à peine, faut pas vous faire du mal avec ça... »

Après l'assiette créole garnie d'une cristophine au gratin flétrie, d'un boudin noir tiède, de quelques accras trop pimentés et de crudités variées, arriva le plat de résistance : une délicieuse fricassée de chatrous. Avant même d'entamer le premier tentacule, ils savaient déjà que le destin les avait réunis. Un mot en poussant un autre, Max descendit un peu plus profond en lui et se mit à parler de sa propre existence qui, en dépit des apparences, n'avait pas été si douce, plutôt hérissée d'épreuves que jalonnée de victoires sur la fatalité. Cinq ans auparavant, il avait perdu femme et enfants dans l'incendie de sa maison de Port-Louis. Sasha, l'épouse défunte, était une métisse indienne de Petit-Canal qui ressemblait à une sirène d'Amazonie. Elle lui avait donné quatre beaux garçons. Tous étaient morts, d'abord asphyxiés et puis calcinés. Max Barline n'avait rien retiré des décombres. Sinon des os — funèbre récolte — ramassés à la pelle. Depuis, il avait reconstruit une maison à Port-Louis. Il lui avait fallu deux ans à peine pour la bâtir, consacrant tous ses dimanches et ses heures vacantes à trimer comme un esclave des temps anciens. Max devait occuper son esprit et ses mains, épuiser son corps pour éviter de penser à Sasha et à ses quatre petits bonshommes carbonisés, ne pas s'embourber dans la peine. Des amis, des camarades, ses frères et cousins, lui avaient à l'occasion donné un coup de main. Ils venaient avec toute la puissance de leurs bras, leurs rires gras et, pour accompagner l'effort, du rhum Bielle à 59° ramené de Marie-Galante par un neveu prénommé Jean-Gontran.

La maison achevée, Max se félicita de la tâche accomplie. Oui, il avait bâti un bel ouvrage. Mais, pas vrai, on ne peut pas reconstruire une famille si aisément. La maison n'avait pas d'âme. Déambulant dans les pièces silencieuses, Max avait le cœur étreint et se retenait de crier. Parfois, il les revoyait. La sirène et les enfants venaient le visiter en rêve. Au matin, il en pleurait. Dans sa maison vide, dans sa chambre vide, la bouteille de rhum était devenue sa nouvelle compagne. Non, il n'en abusait pas jusqu'à rouler par terre et déparler, voir des serpents et des rats, vomir dans les coins et confondre le ciel et la terre. Non, il buvait le matin, avant d'entamer sa journée de travail, juste assez pour se maintenir à un niveau de conscience propre à anesthésier la souffrance et repousser les visions funestes qui noircissaient l'horizon : terres pillées, dépeuplées et brûlées. Et puis, il descendait des verres aussi le soir, seul, afin de tomber comme une masse, d'endormir ses angoisses. Grâce à Dieu, un jour, il avait reçu un coup de téléphone. C'était une certaine Gina Bovoir qui venait le sauver...

Quelques mois plus tard, en avril 2007, Steeve était interpellé à la Ravine claire. Max connaissait déjà en secret le lit de Gina, mais il se fit un devoir de la consoler plus ouvertement. Manière de montrer au monde qu'elle n'était pas seule dans la tourmente, qu'elle avait à ses côtés un preux chevalier capable de la protéger, la rassurer...

Mais de quoi parle-t-on ?

Quelle protection ?

Quelle consolation ?

Est-ce qu'elle l'aimait ?

Non, comme avec les autres, tous ces hommes qui avaient traversé sa vie, Gina avait été possédée par le désir impérieux de faire un nouveau bébé... Et elle était arrivée à ses fins. Oui, en avril, elle portait déjà l'enfant de Max Barline quand Steeve se faisait arrêter, et le reste du monde lui importait peu.

Bref, très vite — un mois à peine après le dîner au restaurant —, Max charroyait déjà des courses pour emplir le frigo. Il avait de quoi, assurait-il. Il voulait seulement aider et se déclarait prêt à donner tout le restant de sa vie pour réparer la faute de son frère Harry. Et il s'enhardit de jour en jour, prit l'habitude d'embrasser Gina dans le cou, de la tenir par la taille devant les enfants.

« Il aurait pu être votre tonton, disait-elle à ses petits. Vivi aurait été tellement contente ! »

Et tout naturellement, on s'accoutuma à l'appeler Tonton Max, comme les autres passés auparavant, au numéro 18 de la rue Félix-Éboué. Il y avait eu Tonton Kounta, Tonton Roger, Tonton Teddy — le père de Junior —, Tonton Jeannot, et voilà maintenant qu'il y avait Tonton Max qui descendait chaque jour à la Ravine claire, vers les cinq heures, au bout de sa journée de travail.

Tonton Max ne chercha jamais à s'imposer sous le toit de Gina. Il passait. Ça se voyait dans son regard qu'elle ne voulait pas qu'il s'installe. Un jour, peut-être l'avant-veille de la naissance de Billy, il proposa d'accueillir toute la famille là-bas, en Grande-Terre, dans la belle maison neuve de Port-Louis. Gina était tellement heureuse avec son bébé dans son ventre qu'elle semblait prête à toutes les concessions. Un soir, ils étaient assis côte à côte, dessous la véranda, sur l'un des bancs qu'avait fabriqués Jeannot Rocasse. Prise de court, elle murmura, laconique : « Pourquoi pas... » Et il crut entendre un oui franc dans ce semblant de réponse. Le visage de Gina rayonnait au mitan de la pénombre. Et le ciel déployé derrière elle ressemblait à une abondante chevelure drue et noire, piquée d'une multitude d'épingles étoilées. Ce soir-là, Tonton Max quitta la Ravine claire en sifflotant, le cœur content, se disant qu'il allait bientôt refonder une famille sur les ruines de sa vie passée. Mais, le lendemain, après sa journée de travail, il trouva une Gina aigrie, la mine grave. Elle avait enfermé ses cheveux dans un foulard noir et on aurait juré qu'elle avait emprisonné aussi toute sa belle joie de revoir Max Barline, le si gentil Tonton Max.

Jamais plus, il ne se laissa aller à lui parler de quitter la Ravine claire...

Bien sûr, depuis le premier jour, il la savait parfois étrange, presque étrangère à elle-même. Elle se prenait à rire pour des riens et se renfrognait d'une minute à l'autre. Lorsqu'il restait dormir à la Ravine claire, il passait des nuits toujours surprenantes. Au milieu de leurs ébats nocturnes, si elle ne se mettait pas à trembler, Gina se réfugiait dans ses bras, subitement l'air apeuré, le corps pris de frissons. Elle pouvait rire ou pleurer dans le même instant, se disant malade, folle, comme si la nuit lui prêtait des éclairs de lucidité. Elle parlait aussi dans son sommeil, comptait et recomptait ses enfants...

Mais ces bizarreries n'effrayaient pas Max. Bien au contraire, Gina lui plaisait telle qu'elle était, sombre et lumineuse, reine un jour, et mendiante le lendemain. Et il avait le sentiment qu'elle était pareille à lui, tourmentée bien qu'elle s'en défende, perdue, dépassée par quelque chose de plus grand qu'elle, mystérieux comme un livre écrit dans une langue inconnue et qu'on sent riche de mille histoires et qui pèse entre vos mains telle une roche orpheline. Alors, quoi qu'il lui en coûtât, Max voulait l'accompagner, se tenir auprès d'elle tout simplement. Oui, il l'acceptait sans restriction, avec sa famille morcelée, ses enfants éclopés, ses rires fragmentés, son corps aussi...

Oui, pour ne rien cacher, il faut dire que Max n'avait plus fréquenté de femme après la mort de Sasha, la sirène. Avec ses seins lourds, ses cuisses pleines, son ventre rond, et son magistral postérieur, Gina lui donnait tellement d'amour. La première fois que leurs corps s'étaient rencontrés, Max avait cru que son cœur allait rompre les amarres et s'arrêter de battre, tellement la jouissance avait été douloureuse et sublime en même temps. Rien qu'avec ses caresses et ses soupirs, elle le faisait sombrer dans un néant réconfortant, sidéral. Et lorsqu'elle commençait à onduler dans ses bras, accentuant au fur et à mesure ses déhanchements, il ne savait plus qui il était, il oubliait jusqu'à son nom et rien, pas un fragment, ne subsistait de sa vie passée. Seul le présent signifiait, importait, le hissait.

Alors, comprenez, il ne voulait pas la perdre par trop de rudesse et de précipitation, mots malheureux et maladresses.

. . . .

Gina avait menti, encore une fois.

Après Billy, elle en attendait encore un...

« Jamais elle ne s'arrêtera », murmura Sharon en tentant de minorer son désarroi. De nouveau, elle sentait la grosse boule se former dans sa gorge.

Où mettrait-on ce nouveau bébé ? se demanda-t-elle.

Est-ce que Gina faisait vraiment des enfants pour toucher l'argent de l'Etat, comme le lui avait confié Steeve ?

Gina se débarrassera de toi...

En 2009, elle trouvera le moyen de te flanquer dehors...

Comme Steeve, comme Mona...

Il devait être huit heures du matin, mais la case était étonnamment silencieuse en ce jeudi 1er janvier. Aucun des enfants ne s'était encore réveillé. Pas un bruit ne filtrait de la chambre de Gina. On n'entendait pas non plus Izora. Est-ce qu'elle était morte pendant la nuit ? Sharon gagna la cuisine. Le matin, qu'il pleuve ou qu'il vente, c'était toujours elle qui préparait le café et mettait l'eau à chauffer pour le chocolat au lait condensé. Elle qui plaçait les tasses et les petites cuillères sur la table de la salle à manger. Sa tâche accomplie, elle retourna tirer le couvre-lit sur la banquette. Elle agença les coussins de satin. Était-il possible qu'ils soient tous morts ? Peut-être qu'un bandit était passé durant la nuit et qu'il les avait tués. Avait... éventré Gina et arraché son bébé dans son ventre... Égorgé les petits l'un après l'autre... Étouffé Izora avec son oreiller. Sharon avait vu ça dans *Esprits criminels*. Pareils à des ogres, certains malades mentaux étaient capables de tuer sans états d'âme. Juste parce qu'ils n'avaient pu se libérer de traumatismes vécus durant l'enfance... Qui sait ? Peut-être que de l'autre côté des cloisons, il y avait du sang plein les draps, des corps à moitié dévorés ou bien coupés en morceaux...

La gorge serrée, Sharon s'assit sur le tabouret Tam-tam et commença à défaire ses nattes, regardant autour d'elle, ce que Gina appelait pompeusement la salle de séjour où trônait son grabat étroit qui faisait sofa la journée. C'était là, à côté d'elle, que Mona s'affalait quand elle revenait de sa mangrove, avec ses vêtements sales, ses baskets crasseuses, sa peau boutonneuse, son odeur de tabac et ganja qui donnait envie de vomir.

Cela faisait des années que Gina avait promis à Sharon une chambre de jeune fille qu'elle occuperait seule.

Non, cette fois-là, elle n'avait pas menti, reconnut Sharon.

La construction démarra en mars 2007, un

mois avant l'arrestation de Steevy. Tonton Max mena les travaux sans l'aide de quiconque. C'était son métier : maçon. Et il était bien courageux. Il voulait tellement faire plaisir à Sharon. Dans la matinée, il travaillait dur sur des chantiers. Mais chaque après-midi, durant trois mois, il débarqua avec des trésors de matériaux dans son pick-up Toyota. Parpaings, brassées de fers, seaux de sable et gravier, sacs de ciment, planches de coffrage, clous, vis, tôles... Il disait que c'était le reliquat de constructions terminées. Il disait que c'était la moindre des choses de soulager une famille meurtrie par le deuil et le chagrin. Il disait qu'il suffisait de dessiner une nouvelle maison et il se chargerait de la bâtir...

Tonton Max attaqua le chantier un dimanche, traçant sur le sol de terre battue de la cour des fondations pour une pièce de neuf mètres carrés. Il avait fière allure, avec sa casquette, son mètre à ruban et ses lunettes qu'il avait chaussées pour vérifier ses cotes sur le plan — un carré de trois mètres sur trois tracé sur une feuille arrachée à un cahier de Sharon. Quand Gina lui susurra qu'il ressemblait à un entrepreneur, Max ôta sa casquette et lui donna un baiser. « Si j'arrive à te faire sourire le restant de ma vie, murmura-t-il, je pourrai soulever des montagnes et déplacer des rivières. Je n'aurai jamais peur de rien ni de personne. » Et, bien revigoré par sa belle, il planta les quatre piquets de fer et se mit à creuser à grands coups de pioche, dégageant la terre au fur et à mesure.

Devant les enfants, ils se faisaient encore discrets, pareils à deux amis tombés en amour malgré eux. Mais Gina portait déjà son bébé dans le ventre, l'enfant de Max Barline. C'était un secret qu'elle n'avait confié à personne, pas même à Phillys Bordage. Elle entrait dans son cinquième mois de grossesse, mais son ventre avait à peine grossi. Elle semblait juste s'être empâtée à la taille.

Bah ! Il sera bien temps d'annoncer la nouvelle aux enfants, s'était dit Gina. Pour l'heure, ils couvaient leur Tonton Max du regard et ne pouvaient qu'admirer ce bâtisseur providentiel que la mort de Tatie Vivi avait placé sur la route de leur mère.

Sharon se voyait déjà dans sa chambre de jeune fille, installée à son bureau, studieuse, révisant ses leçons loin du brouhaha permanent de la télévision. Il faut bien l'avouer, Sharon avait détesté chacun des pères de ses petits frères et sœurs, même ce Raymond Sisal fantomatique. Mais, curieusement, elle n'éprouvait pas d'animosité pour son Tonton Max, plutôt une forme de reconnaissance. Il semblait différent des autres. Fort et fragile à la fois. Elle l'observait non sans admiration, se disant qu'il pourrait sans doute faire un bon père — vu que son vrai papa vivait au Burkina. Tonton Max avait une forte carrure et une musculature de titan. Elle l'imagina en train de transporter de grosses montagnes sur ses épaules, aussi aisément que des sacs de ciment. Elle se le représenta en train de changer le cours de la rivière sans nom qui cascadait au fond de la ravine.

Et, comme s'il lisait dans ses pensées, il s'adressa à Sharon : « J'aurai fini de creuser les fondations ce soir. Ma fille, je te promets que tu dormiras dans ta chambre à la fin du mois de mai. T'es contente ? » Et il donna un grand coup de pioche.

Et c'est ainsi qu'il fit remonter les premiers ossements de nous autres
Avec ce coup de pioche décisif
Tel un découvreur de trésor
Et voilà comment il nous fit sortir du conte
De cette manière qu'il nous ramena au grand jour
Intacts dans notre douleur
La mémoire pleine de ce jour à feu et sang
Dépouillés de nos chairs
Vidés de notre sang
Privés du souffle de vie
Et voilà comment il empila les ans les uns sur les autres jusqu'à les réduire à néant

Max projeta son outil loin devant lui comme s'il avait reçu une décharge électrique. Il avait déjà creusé le sol sur trente centimètres. Jusqu'alors, il n'avait dégagé que de grosses roches mariées à la terre brune, pâteuse. Et soudain, il y eut ces ossements...

On distinguait nettement deux squelettes imbriqués l'un dans l'autre. Deux crânes. L'un de plus petite dimension. Gina intima silence à sa progéniture et ordonna à Junior d'aller presto fermer à clé le portillon qui ouvrait sur la rue, et puis de mettre le loquet à la porte d'entrée, afin de prévenir la venue d'une maquerelle du voisinage.

Sharon se souvenait des paroles de sa mère qui savait Steeve capable du pire : « Mon Dieu ! Dites-moi que ce n'est pas mon fils Steevy qui les a tués et enterrés là ! Qu'est-ce qu'on va faire, Seigneur ?

— Non, c'est plus ancien que ça ! répliqua Max sans sourciller. Donnez-moi une pelle et une balayette. »

Et il s'agenouilla auprès des ossements comme un homme pieux au chevet de gisants. Après quelques brefs époussetages, une observation d'archéologue amateur, Tonton Max releva la tête. Ses mains tremblaient un peu. Cependant, il souriait.

« C'est pas les premiers hommes, mais c'est vieux... Ça doit dater d'au moins cent à deux cents ans... Je sais pas... C'était peut-être des esclaves, des nègres marrons... des Caraïbes... Autrefois, y avait un village ici, non... ou un cimetière, je sais pas... En tout cas, c'est sûr, c'est pas ton fils qui les a enterrés là... »

Visiblement soulagée, Gina enjamba un monticule de terre, de la ferraille, des piles de parpaings, et elle s'approcha de la scène du crime avec précaution. D'un coup, elle songea à Marga et elle s'immobilisa à deux pas des squelettes.

Oui, les paroles de Max faisaient écho à un conte entendu jadis...

Marga Despigne était morte au début de l'année 2004.

Gina se rappelait que la vieille marraine avait raconté une sorte de légende sur la Ravine claire. De temps en temps, dans ses délires, Izora en lâchait encore quelques bribes. Mais qui s'y intéressait ? Peut-être Sharon... À l'époque où Marga était venue à Lareine, Gina l'avait écoutée d'une oreille distraite. Rien n'aurait pu lui faire abandonner l'idée de s'installer à la Ravine claire. Sa mémoire lui renvoyait à présent l'image déformée d'une Marga contrite, assise dans une armoire étroite et bouffée par les termites, en train de compter des os.

À la voir, on aurait dit que Gina était plantée au bord d'une falaise, regardant la mer battre furieusement les rochers par en bas. À ses pieds, Max continuait de promener sa balayette sur les crânes.

Après en avoir discuté à mi-voix, Max et Gina convinrent d'écarter les enfants. Sauf Sharon et Junior. Sharon était la plus grande et Junior le plus courageux. Même s'ils avaient déjà pu observer des centaines de cadavres à la télévision, les marmots n'avaient pas besoin de voir en vrai les squelettes de ce que Max supposa bien vite être une mère et son enfant. Sûrement une négresse marronne et son petit. On aurait dit qu'ils avaient rampé l'un vers l'autre, à bout de forces, pour se retrouver unis dans la mort.

Oui, il y avait une manière maternelle dans la posture mortuaire du squelette adulte. Elle l'avait sans doute vu mourir. Le petit avait été fauché sous ses yeux. La tête renversée en arrière. La charpente enfantine disloquée. Est-ce que Sasha avait vu mourir ses garçons ? se demanda Max.

XIII

Plus d'un an que Tonton Max avait donné une sépulture à ces deux-là. Ils reposaient tranquillement sous la dalle de la chambre de Sharon qu'occupait Grand-mère Izora en attendant de passer de vie à trépas.

Lorsqu'elle fouillait un peu ses souvenirs, Sharon revoyait Tonton Max en train de manipuler les squelettes avec délicatesse. Oui, elle se rappelait qu'il les avait légèrement déplacés pour respecter ses cotes et creuser les fondations de la chambre. Ensuite, agençant les os de son mieux, il avait remis les deux squelettes dans leur position initiale. On aurait dit des gens de sa famille, ses ancêtres exhumés. Il s'était redressé, avait demandé de l'eau. Son visage était en sueur, grisâtre, tout pétrifié. Après, il avait fait un signe de croix.

« Tu veux qu'on récite une prière ? » avait demandé Gina.

Max avait hoché la tête.

À la fin du Notre Père, ils s'étaient tous les

quatre regardés comme des complices, Junior et Sharon, Max et Gina.

« Bon, ben, c'est fini. Y a plus qu'à les enterrer de nouveau », avait marmonné Max. Et il n'avait plus dit un seul mot à partir du moment où il avait commencé à les couvrir de terre et roches. Ensuite, sur les neuf mètres carrés, il avait tiré un lourd treillis soudé qui faisait penser à la grille d'une cage ou plutôt d'une prison dont personne ne pourrait jamais s'échapper. Et, muré dans son silence, il était parti sans se retourner, à croire qu'il n'allait plus revenir, qu'il allait lui-même chercher une geôle où s'enfermer ad vitam aeternam. Mais le lendemain, il était réapparu au petit matin, le regard étrangement lumineux, entouré d'une bande d'amis braillards et grands soiffards. Grâce à eux, il se sentait plus téméraire, moins vulnérable. Les grosses voix et les rires mâles mêlés au ronron poussif de la bétonnière et au ramdam des pelles, enfin tout ce tapage mettait en sourdine les cris de ses garçons brûlés dans l'incendie. En une journée à peine, ces zouaves, qui torses nus ressemblaient à des apollons, avaient battu et posé le béton de la dalle. Avaient fait disparaître le treillis soudé, les roches, les bosses et les mottes de terre qui recouvraient la hideur des squelettes.

Gina fit jurer à chacun de ses enfants de ne jamais évoquer cette histoire en dehors de la case. De ne dire à personne ce qui se trouvait sous la chambre de Sharon. Et pour les aider à tenir parole, elle prit un air très solennel et les mit en garde : « Si vous ne respectez pas ce serment, ils viendront la nuit vous tirer par les pieds et ils partiront avec vous et ils feront de vous des zombies... Vous ne voulez pas devenir des zombies, hein ? Et qu'est-ce que vous croyez, vous aurez une vie misérable, à traîner dans les rues sans que personne vous donne même un quignon de pain, vous serez forcés de manger dans les poubelles et dormir sur le bas-côté de la route et marcher toute la journée sans connaître votre destination... C'est ça la vie de zombie et c'est pas drôle tous les jours... Alors, je vous conseille de vous taire !

— J'en ai déjà vu, des zombies ! s'écria Perle.

— Où ça ? s'inquiéta Junior.

— Ben, y en a un qui dort près de la cantine. Il mange dans les poubelles. Il a même des locks comme le papa de Sharon sur la photo.

— Mon papa, c'est pas un zombie ! s'exclama Sharon.

— Mais non, c'est un SDF, ce rasta-là..., fit Gina en s'adressant à Perle. Le papa de Sharon, c'est un homme d'affaires en Afrique. Les zombies, c'est des morts-vivants ! » continua-t-elle.

Perle ouvrit de grands yeux.

« C'est possible d'être mort et vivant en même temps ? osa Sharon.

— Bien entendu ! Regarde autour de toi ! Y en a partout ! Tous ces gens, on croit qu'ils sont vivants, mais en fait ils sont déjà morts... Ils ne le savent pas tous mais, crois-moi, ils sont bien morts...

— Et nous aussi, ça peut nous arriver ? fit l'un des enfants.

— Et comment on peut les reconnaître ? continua Sharon.

— On peut pas », répondit Gina.

. . . .

Max n'en parla à quiconque, mais cet épisode à la Ravine claire le tourneboula profondément. Devant Gina et les enfants, il avait fait bonne figure et joué à l'archéologue... Las, pendant des mois, il fut réveillé par des cauchemars dans lesquels s'emmêlaient les cris de Sasha et de ses quatre garçons morts dans le brasier de sa maison de Port-Louis à ceux des deux créatures ensevelies sous la dalle de béton. Il se revoyait, grattant inlassablement la terre, à la recherche d'ossements, interrogeant les bouts de bois calcinés, les cailloux, les poussières, les vieux papiers. En vrac, il récoltait tous les os dans un grand sac qu'il transportait sur son dos de jour et de nuit. Incapable de se débarrasser de ce fardeau, il errait tel un colporteur à la triste figure, l'âme en peine et le cœur chiquetaillé.

Pour quelle raison extraordinaire je me retrouve encore une fois dans cette même posture, confronté à des ossements ? se demandait-il de temps à autre. Pourquoi revivait-il continuellement la même scène ?

Pourquoi n'avaient-ils pas alerté les autorités au lieu de couler le béton à la va-vite, comme s'ils étaient coupables de quelque chose dans cette affaire ?

Pourquoi s'étaient-ils comportés pis que des criminels impatients de camoufler des indices, faire disparaître les cadavres ?

Aveuglé par son amour, il avait écouté Gina. Fébrile, elle avait soufflé : « Ils vont nous empêcher de bâtir la chambre de Ti-Sha... En plus, tu sais bien qu'on n'a même pas demandé un permis de construire... Tu paries qu'ils vont nous flanquer une amende... Et ils nous interdiront d'agrandir la maison... Non, non, je veux que Sharon ait sa chambre... Ça fait trop longtemps qu'elle dort dans le salon... Je lui ai promis... Je veux pas la décevoir... »

Suite à ces événements, Max fut tenté à plusieurs reprises de boire plus qu'il n'en faut. Acheter une bouteille de rhum et la siffler en un rien de temps. Soustraire sa lucidité à la violence des émotions qu'avait réveillées la découverte des vieux os couchés dans la terre. Échapper à l'angoisse qui le submergeait dès le réveil. Grâce à Dieu, songeant à Gina et à ce qu'il espérait bâtir avec elle, il n'avait pas flanché. Et au mois d'août 2007, les cauchemars commencèrent à se raréfier.

Une nuit, il rêva encore une fois de Sasha. Elle était d'une beauté saisissante et qui blessait les yeux comme un rai de soleil à midi. En larmes, il essaya aussitôt d'entrer dans le rêve pour retrouver la sirène, toucher sa peau, sentir les parfums de son corps... Fleur de frangipanier et patchouli. Enivré par avance, Max poussa d'abord une barrière en bois de courbaril qui donnait sur une courette intérieure arborée. Là, il se retrouva devant un portail de fer forgé garni de trente verrous de laiton qu'il parvint à faire sauter on ne sait trop comment. Puis il buta sur une porte qu'il ouvrit par la puissance de sa seule pensée. Seigneur Tout-Puissant, elle dormait, nue, juste vêtue de ses longs cheveux de satin noir et lestée d'un ventre de parturiente. Il susurra son nom. « Sasha... Sasha... C'est moi, Max... Lève-toi ! Fais vite ! Je suis venu te sauver... Oh mon Dieu, cette fois, non, non, je ne Te laisserai pas me l'enlever... » Lorsqu'elle daigna le regarder, les traits de son visage s'effaçaient déjà et une main invisible modelait le petit nez rond de Gina, ses grands yeux étonnés, sa bouche épaisse aux lèvres si douces. Et le temps qu'il se rattrape et murmure le prénom de l'aimée « Gina, Gina... », une autre figure, inconnue, se substitua encore à celle-là, comme si cette même femme rêvée pouvait en incarner une multitude et changer de visages à l'infini. Et tandis que la créature entrait dans les douleurs de l'enfantement, grimaçait, devenait repoussante avec des yeux glaireux de palourdes grises, son ventre faisait des bosses spectaculaires. Et soudain, dans un râle ultime, elle expulsa un petit être recouvert de sang qui glissa inerte d'entre ses cuisses et qu'on aurait dit mort-né.

Max aurait voulu le ramasser, mais il était sans force. Heureusement, des femmes surgirent des quatre bords de son rêve et entreprirent de ranimer l'enfant. Sans bien comprendre comment, il se retrouva avec son bébé dans les bras. Le nourrisson était parfaitement constitué et l'observait avec gratitude, droit dans les yeux. Il avait une tache dans le dos. Une tache émouvante, en forme de guitare, et qui imposait l'idée qu'il serait musicien ou poète. Dans son rêve, Max était fier de son œuvre. Alors, cherchant à conforter ce sentiment, il se tourna vers la mère. Hélas, sa chair commençait à tomber en lambeaux. Et puis ses os à se détacher l'un après l'autre. Et encore une fois, Max se retrouva accroupi, tâchant de rassembler les morceaux, les os, pleurant, geignant, les doigts fouillant la terre, questionnant la cendre et la poussière.

Et, le cœur serré, il se réveilla en sursaut.

Le téléphone sonnait.

C'était l'hôpital.

Gina lui annonçait dans un rire de reine folle de carnaval qu'elle avait mis au monde leur bébé. Son bébé. Billy, un merveilleux poupon qui avait une marque dans le dos. Un banjo ou une guitare...

. . . .

Avant que Sharon ait fini de se coiffer, tous les enfants étaient réveillés. Non, personne ne les avait tués durant la nuit. Ils étaient là, pauvres petits, prêts à affronter la nouvelle année et tous ses pièges : Junior, Perle, Judith et Katy... Et, se dit Sharon, ils ne savent pas qu'elle veut nous abandonner l'un après l'autre, nous perdre... Cela faisait trois mois qu'on n'avait pas eu de nouvelles de Mona. Et qui s'en souciait ? Quant à Steeve, qui sait s'il n'était pas en train de dépérir en prison ? Depuis sa condamnation, Gina avait interdit aux enfants de dire son nom...

Le téléphone sonna dans la chambre de sa mère. On entendit des bribes d'une conversation joyeuse. C'était Tonton Max qui souhaitait la bonne année. Gina se mit soudain à rire et à le remercier. Au bout d'un moment, elle apparut toute souriante, Billy dans les bras, poussant son gros ventre devant elle. On aurait cru qu'il avait doublé de volume durant cette nuit. Et, sans doute éveillée par l'odeur du café, Izora se leva aussi. Telle une miraculée, elle stationna un peu égarée à la porte de sa chambre. Curieusement, elle ne sentait même pas mauvais et, trottinant sans canne, elle prit place parmi les enfants, à la table du petit déjeuner.

Gina rayonnait.

« Bonne année 2009 à tous ! Bonne année, mes enfants. Embrassons-nous ! Mon Dieu, faites que cette année nouvelle nous apporte que de la joie. Prions Dieu de nous épargner, nous protéger et nous bénir... Elle a bien commencé, non ?... Vous savez quoi ? Avant de partir, Tonton Max avait caché de l'argent dans le tiroir de ma commode. Je croyais que j'étais fauchée et c'était tout le contraire. Je me suis couchée pauvre et je me réveille riche... Et je dois vous annoncer une bonne nouvelle... Devinez ! Allez, c'est quoi cette bonne nouvelle ? »

Izora se pencha comme si elle allait plonger sa figure dans le bol vide qui se trouvait devant elle.

« Tu vas te marier avec Tonton Max ! répliqua Perle.

— Mais non, bêbête ! Demande à Ti-Sha, c'est quoi la bonne nouvelle ? »

La bouche entrouverte, la lèvre inférieure pendante, Perle tourna sa grosse figure vers Sharon qui fixait sa mère avec une indifférence feinte.

« Son cadeau d'anniversaire ! s'écria Perle avec ravissement. Tu vas lui payer son billet de bateau pour la Dominique et elle partira avec sa copine Betsy ?

— C'est pas aujourd'hui ! Y a du temps avant le 21... Alors, Ti-Sha, tu le dis ou je le dis ?

— Je sais rien, fit Sharon.

— Bon, commença Gina, vous serez contents, je suis sûre, parce que moi je suis tellement contente... »

Izora, qui semblait somnoler, haussa les sourcils et regarda Sharon, le nez plissé, l'air inquiet.

« J'attends un bébé — une fille. Et cette fois, c'est sûr et certain, c'est mon dernier bébé... Je le jure... »

Se fiant à la joie de Gina, les petites — Judith et Katy — furent les seules à se réjouir ouvertement. Elles applaudirent en imaginant sans doute qu'elles pourraient bientôt jouer avec une poupée. Katy battait des mains de façon un peu frénétique tandis que Judith, avec son gros pansement sur le menton et sa mâchoire tuméfiée, ressemblait à l'un de ces enfants victimes d'une guerre fratricide, là-bas en Afrique. Le chien du voisin avait manqué de la défigurer, pourtant elle souriait à la bonne nouvelle de Gina. Junior ne risqua pas un mot mais les traits de son visage se crispèrent soudain. Perle sembla s'éteindre. Sharon avala sa salive tandis que Grand-mère tentait de remonter le temps, questionnant sa mémoire à la recherche d'un souvenir désagréable qui rimait avec le mot : bébé.

Mais, de manière impromptue, Gina changea de sujet de conversation.

« Tonton Max pense bien à vous... Et peut-être que les gens ont raison, 2009 sera une belle année pour nous tous... Déjà, l'Amérique aura un Président noir et c'est pas rien... C'est incroyable mais vrai et on va tous se planter devant la télé pour voir ça le 20 janvier prochain... Allez ! Venez embrasser votre maman... »

Et, docile, chacun des enfants quitta son siège et fit la queue pour lui coller un baiser sur la joue — même Katy — et recevoir en retour une bise phénoménale qui promettait tous les bonheurs du monde.

« Oh ! Je vous demande pas grand-chose, seulement d'être obéissants et de pas vous perdre dans les mauvais chemins des négros *bad boys* de la Ravine claire. Vous savez de quoi je veux parler... Je vous en supplie, faites pas comme vos aînés ! Travaillez bien à l'école ! Suivez l'exemple de Ti-Sha ! Allez, on va tous prendre de bonnes résolutions pour cette nouvelle année... Moi la première, je vous promets de moins m'énerver... Je vous jure que votre petite sœur sera bien mignonne... Toute gentille... Ah, j'oubliais, on met de côté les jurons, d'accord... Bon, c'est Tonton Max qui vous dit tout ça... et je pense comme lui... Il vous embrasse bien fort.

— Il revient bientôt ? lança Perle.

— Ah ! J'oubliais... Que je me souvienne... Oui, il a un message pour chacun de vous...

— Et il aura des cadeaux quand il reviendra, coupa Judith.

— Moi, je veux une...

— Taisez-vous que je vous passe les messages... D'abord, toi, Perle, il t'a dit que tout n'est pas bon à manger. Pense avec ta tête et pas avec ton ventre. Junior, il te demande de ne plus avoir peur de ta jambe raide. Tu pourras quand même avancer dans la vie. Sharon, promis, il te paiera ton voyage à la Dominique cette année pour que tu parles anglais comme Barack Obama et — qui sait ? — tu deviendras peut-être la première présidente de la République de Guadeloupe. Judith, toi, Tonton Max t'a trouvé une belle poupée qui te portera chance et remplacera celle qu'on t'a volée... Et mon petit Billy, ton papa t'a dit qu'en 2009, tu deviendras le plus gentil des petits garçons, même quand il sera pas là... »

Sceptique, Billy fit la moue et se gratta la joue.

« Et y a aussi des messages pour Mona... pour Steeve, pour Katy ? demanda Sharon, l'air placide. »

Gina marqua un temps d'arrêt. « Non, aujourd'hui tu diras ce que tu voudras, mais tu gâcheras pas ma joie, Ti-Sha !

— Anman faim ! balbutia Billy.

— Oui, c'est vrai, il y a un message pour Katy... Heu... Tonton Max... va t'emmener chez un spécialiste des yeux... En 2009, tu vas porter des lunettes et regarder dans une seule direction. »

Puis, enjouée, elle tendit un billet de vingt euros à Junior. Réclamant à manger, Billy commençait à trépigner sur ses genoux.

« Ti-Sha, prépare-lui son biberon. Et toi, Junior, la boutique est ouverte. Ramène deux pains bien dorés, et s'il y a des viennoiseries, prends-en pour tout le monde, des petits pains nattés, des flûtes, des pommes-cannelle. Fais vite ! Et aussi douze œufs, un kilo de sucre, un autre de farine, un litre de lait et un litre d'huile, et puis aussi un paquet de levure chimique... Et vérifie les prix, la laisse pas te vendre ce qu'y a de plus cher... Et ramène la monnaie !»

Junior se leva d'un bond, sans rechigner, attrapa le billet bleu et sortit de la case en claudiquant.

On aurait cru un corsaire avec une jambe de bois.

Gina le suivit des yeux un instant avant de détourner son regard, secouant la tête comme si elle n'arrivait vraiment pas à s'habituer à ce fils invalide. Heureusement, il avait une tête bien faite, une mémoire phénoménale. On pouvait lui donner une liste de cinquante articles, il n'en oubliait pas un seul. Peut-être qu'il s'en sortira quand même dans la vie, se dit Gina. Peut-être qu'avec une talonnette on verrait moins qu'il est un malheureux boiteux. Peut-être qu'avec la méthode de cheval qu'elle avait vue à la télé, Junior arrêterait de bégayer...

« Avec l'argent de Tonton Max, on ira faire des courses au supermarché ? demanda Perle.

— Non, c'est fermé aujourd'hui. On est le premier de l'an... Y a que la boutique qu'est ouverte...

— Et qu'est-ce qu'on va manger à midi ? » Il y avait un trémolo angoissé dans la voix de Perle.

« Phillys descend avec sa mère, répondit Gina, détachant chaque syllabe.

Elle était faussement calme. C'était le premier jour de l'année 2009 et elle ne voulait pas déjà commencer à s'agacer. « Elles apportent le repas, poursuivit-elle. Églantine a tout prévu. Je crois qu'on va manger de la poule roussie, des pois rouges et du riz blanc. Et moi, je vais faire un gâteau, un très très gros gâteau qu'on va manger cet après-midi avec du chaudeau. »

Perle hocha la tête, visiblement rassurée.

« Allez Sharon ! Qu'est-ce que tu fais ? Billy attend son biberon. Dépêche-toi ! »

La voix de Gina s'efforçait de se maintenir dans une gamme doucereuse.

À ce moment, Izora opina du chef, un sourire énigmatique sur les lèvres. Elle fixait la porte de la chambre avec intensité et semblait communiquer avec des invisibles.

« Qu'est-ce qui te fait sourire comme ça, maman ? » demanda Gina.

Non, elle n'espérait pas de réponse. Cela faisait longtemps que Gina n'avait plus de véritables conversations avec sa mère. Des années qu'elle ne craignait plus ses pesantes sentences, ses pénibles récriminations. Ce qu'Izora pensait de cette nouvelle grossesse lui importait peu. Telle une reine mère décrépite, dépossédée de ses pouvoirs, Grand-mère n'avait plus droit au chapitre. Fragile et vulnérable, elle était à présent à la merci de son entourage. Une infirmière venait la laver matin et soir, lui mettre des couches-culottes comme à un bébé. Pauvre Izora, elle passait son temps au lit à converser avec ses fantômes, son dentier trempant dans un verre d'eau sur la table de chevet. Mangeait des purées, de la viande hachée, des crèmes à la vanille longue conservation. Bon, c'est vrai, depuis septembre, elle semblait avoir repris des forces et gagné en autonomie. Elle restait un peu dessous la véranda, regardant passer les gens. Elle descendait aussi dans la rue en compagnie des enfants. Mais, du fait de sa maladie, elle avait perdu son autorité naturelle, sa prestance, sa morgue. Non, Izora n'avait plus le loisir de mépriser les gens ni de se gonfler d'arrogance. Et comme Billy, lorsqu'elle parlait, on ne saisissait pas toujours ce qu'elle voulait dire. Alors, elle se fâchait aussitôt. Gina avait parfois l'impression que son bébé Billy et sa vieille mère n'étaient pas si différents. Tantôt elle avait à sa charge deux vieillards, tantôt deux nourrissons... Sans dents l'un et l'autre, incapables de se faire comprendre sans geindre ou crier, de marcher seuls, de se nourrir seuls, de se vêtir seuls, ne maîtrisant pas leurs sphincters, ne contrôlant pas leurs émotions, baragouinant sans fin...

Tout ce chemin parcouru pour revenir au point de départ. Tant d'images vues, rêvées, entendues, perçues, engrangées, au long d'une vie et, à son terme, réduites à néant, oubliées, remisées.

C'était donc ça la vie...

Ce voyage sans queue ni tête. Cette route qui ne menait nulle part ou sinon à un perpétuel recommencement.

Izora regardait défiler les jours en attendant d'être complètement déchue. Plus personne ne l'écoutait, ne s'intéressait à ce qu'elle racontait. Plus personne ne lui demandait son avis ni le moindre conseil.

« Qu'est-ce qu'il y a, Grand-mère ? » tenta Perle à son tour.

Izora pointa sa petite cuillère en direction de la chambre.

Elle en avait laissé la porte entrebâillée. Il y avait une large zone d'ombre qui, sortant de la chambre, se répandait sur le lino de la salle à manger. La lumière qui entrait par la fenêtre de la pièce était chiche. On apercevait un pan boisé du Morne Bisiou. C'était une délicieuse chambrette peinte en rose par Sharon elle-même. Mais Sharon n'avait jamais pu y passer une seule nuit. Et ce n'était pas la faute de Tonton Max. Lui avait tenu sa parole : les travaux avaient bien été achevés en mai 2007. Juste à temps pour Grand-mère. Et tant pis pour Sharon ! Le docteur avait décrété qu'Izora ne pouvait plus vivre seule à son domicile. Et ce n'était pas la peine de regimber, Gina n'avait pas eu le choix. Il avait bien fallu trouver une solution.

XIV

Quand Sharon entrait dans sa chambre encombrée de Grand-mère et de son lit médicalisé, elle avait le plus souvent mal au ventre. Rien qu'à voir la chaise roulante dont le siège était percé pour accueillir un seau hygiénique, et la montagne de paquets de couches-culottes compactées, la petite sentait une boule se former dans son estomac et remonter dans sa gorge. Pour lui donner l'espoir qu'elle ne tarderait pas à réinvestir sa chambre, Gina lui avait dit de laisser les posters déjà punaisés au mur. Plus que des gardes-malades, Bob Marley, Yannick Noah et Admiral T se reluquaient comme des candidats à l'élection présidentielle.

L'armoire en panneaux de contreplaqué qu'elles étaient allées choisir chez BUT était remplie des chemises de nuit vieillottes et des culottes extra-larges de Grand-mère. Quant au lit que Tonton Max avait offert, on n'avait même pas eu le temps de le sortir de son emballage. Moisissant déjà, le carton était posé derrière la porte, contre le mur, et recouvert de poussière, en attendant...

Sharon prenait son mal en patience. Un jour prochain, elle allait se réapproprier sa chambre. Non, elle ne demandait pas la mort de sa grand-mère. Mais, très bientôt Izora irait rejoindre Tatie Vivi dans son Paradis.

Voilà ce que Sharon se répétait tous les matins lorsqu'elle se réveillait dans la salle de séjour, sur ce lit-sofa — qu'on appelait la banquette — et sur lequel tout le monde se vautrait la journée, où l'on faisait asseoir les rares invités, les dames des services sociaux. Dans le même espace — à peine dix mètres carrés —, il y avait aussi une berceuse de bois rose et rotin aux deux bras cassés, un fauteuil club que Gina avait récupéré — avant la décharge municipale — chez une dame de Lareine où elle avait fait du repassage une année durant, un tabouret Tamtam en plastique orange, et aussi deux chaises pliantes au tissu crasseux. C'était là qu'on se réunissait pour regarder la télévision. Gina trônant dans son fauteuil de cuir sale et tout griffé, Grand-mère Izora affalée dans la berceuse et les enfants sur le lit de Sharon, les autres sièges ou bien par terre, allongés sur le lino usé comme de gros vers de terre.

Dans le prolongement du coin-salon, se trouvait la salle à manger embarrassée de son immense table en bois de courbaril, imputrescible, dur comme la pierre. Cette table était l'œuvre de Jeannot Rocasse, le père de Perle. Il l'avait fabriquée en autodidacte et assortie d'un buffet et de deux bancs taillés dans le même bois. Le bougre avait vu trop grand pour les dimensions de la petite pièce, mais Gina n'avait rien trouvé à redire quand il s'était présenté avec ce mobilier destiné aux banquets d'une famille d'ogres ou de géants. Oui, à cette époque, Gina voulait tellement croire que son Jeannot était l'élu. Alors, elle avait vu en cette démesure, une expression du trop-plein d'amour qu'il lui vouait, une sorte de débordement qui attestait la solidité et la longévité de leur union. La cuisine rikiki se trouvait derrière un rideau de graines de Job que Gina avait acheté à un rasta à la fête communale de Lareine. Le réfrigérateur qui ronronnait là avait bientôt dix ans. C'était Tonton Kounta qui l'avait branché avant de partir pour le Burkina.

« Qu'est-ce qu'il y a ? » répéta Gina.

De nouveau Izora pointa la chambre.

« Quoi encore ! Va voir, Ti-Sha... » Et sur le visage de Gina, on discernait ce mélange d'agacement et de condescendance que s'arrogent les enfants devenus adultes face à leurs parents impotents, dépendants.

Sharon rapportait le biberon. Elle croisa le regard de sa grand-mère qui paraissait soudain l'implorer tel un naufragé dans les courants.

« Tu sais, hein, Ti-Sha..., souffla Izora.

— Quoi ? Qu'est-ce que vous complotez ? » s'écria Gina.

Billy attrapa son biberon et se mit à le secouer au lieu de boire son lait gentiment.

Le lait voltigea à travers la pièce.

« Chut ! Allez, bois ! Bois ! C'est bon ! murmura Gina en essayant de lui fourrer la tétine dans la bouche. Te fâche pas, mon Billy ! Regarde ! Hum ! Voilà ton grand frère ! »

En effet, Junior était de retour avec une merveilleuse odeur de pain chaud juste sorti du four. Tout en faisant sautiller Billy sur ses genoux pour le calmer, Gina indiqua du menton la chambre et, des yeux, fit signe à Sharon d'aller regarder ce qui se passait.

Sharon avait commencé à dormir dans le salon à sept ans, après les naissances de Judith, sa petite sœur et de sa nièce, Katy. Mona était une jeune mère toxicomane d'à peine seize ans, incapable de dire qui était le père de son bébé. En sortant de la maternité, elle avait fait un crochet chez son fournisseur de cannabis. Avec son bébé, elle occupait l'un des lits superposés de la chambre des enfants, en bas à droite, côté filles. Elle resta là pendant un mois, envoyant Junior lui faire ses courses, lui ramener son herbe. Pour dire vrai, Mona se cachait du monde et plus particulièrement des femmes de la Ravine claire. Ces bougresses venaient en visiteuses hypocrites, avec des chaussons de fil même pas lavés, des bavoirs usagés, des jouets de seconde main. La plupart avaient surtout dans l'idée de s'amuser de la situation de Gina et Mona, la mère et la fille, qui faisaient des bébés presque en même temps, à six mois d'écart. En effet, Judith était née en novembre 2004 et Katy en mai 2005. Pour finir et apporter toute la lumière à ce tableau, il faut ajouter que ces personnes étaient aussi curieuses de découvrir ce nourrisson qui regardait dans des directions opposées. Les gens dotés de cette particularité possédaient, disait-on, un don qui les rendait capables de voir clairement le Bien et le Mal... Qui leur permettait, à toute heure, de distinguer les bonnes âmes des démons, même dépourvus de leurs attributs charnels et humains... Qui les préservait des angoisses, du doute, des désenchantements, des erreurs de jugement.

C'est ainsi que Sharon avait été éjectée de la chambre des enfants, s'était retrouvée à coucher seule dans le salon.

La nuit l'effrayait.

Certains soirs, Gina quittait sa couche et — sans allumer la lumière — traversait la salle de séjour en se cognant à la table mastoc, aux chaises pliantes, aux tabourets mal rangés. Allongée sur le sofa, Sharon sursautait à tous les bruits. Elle écarquillait les yeux et regardait sa mère ouvrir la porte d'entrée à la grosse voix de la nuit noire, à la chanson impatiente de la pluie et au vent agacé qui tambourinait contre les volets. Une ombre en profitait aussitôt pour s'engouffrer dans la case. Et lorsque Gina retournait dans sa chambre, l'ombre la talonnait, marchant à pas de loup. Se collait à elle. Parfois même semblait prête à l'enlacer, la dévorer, ou à l'étrangler, jetant et refermant ses grands bras sur elle. Tout comme Mona, Grand-mère Izora — du temps où elle était valide — aimait raconter des histoires de zombies et soukougnans. Et ces histoires paraissaient tellement vraies ces nuits-là où Sharon épiait le manège des ombres... Terrorisée, elle aurait voulu venir en aide à sa mère. Mais il lui était impossible de bouger ou parler. Elle les suivait des yeux jusqu'à ce qu'elles disparaissent dans la chambre, se disant que ces créatures pourraient s'intéresser à elle. Fallait surtout pas qu'elles remarquent sa présence. Pourraient l'embarquer et l'emmener loin de la Ravine claire. Seraient capables de la torturer, la violer... Ça arrivait à des fillettes plus jeunes qu'elle à la Ravine claire. Souvent, ça se passait la nuit, dans la noirceur. Au matin, les gens qui en parlaient chuchotaient que les petits corps étaient déchirés entre les cuisses. Qu'est-ce que ça voulait dire ? Déchirés comme un bout de tissu, transformés en fines lanières de toile, en queue de cerf-volant... Déchirés tel un morceau de papier, réduits en confettis, lancés au ciel, jour de carnaval, et puis piétinés sur les trottoirs. Déchirés par un autre corps trop grand, sans âme ni sentiments. Alors, imaginant sa propre chair en lambeaux, Sharon demeurait immobile sur sa couche. Silencieuse dessous son drap, raide comme une morte dans son cercueil, attendant que les ombres passent et s'effacent.

Ces grandes terreurs avaient duré un peu plus d'une année.

D'habitude, les ombres ne parlaient pas, se contentaient de pousser des gémissements. De souffler fort, de glousser. Mais une nuit, après avoir vu l'ombre entrer dans la case, Sharon avait entendu sa voix. Fluette avec des accents rauques. Elle avait reconnu la voix de Tonton Roger qui n'avait pas eu le temps de faire un enfant à Gina. Et c'était bien lui qui était sorti de la chambre de sa mère le lendemain, au petit jour, sifflotant. Une autre fois, dans un éclat de lune, elle avait cru voir luire le visage de Tonton Jeannot, briller ses grandes dents blanches... Au matin, elle n'était plus très sûre qu'il s'agissait de lui... Ce tonton-là avait été évincé il y avait si longtemps.

Mais elle avait compris.

Si les ombres avaient perdu leur caractère spectral, la nuit n'avait pas cessé d'effrayer Sharon. Alors, un soir, après la mort de Tatie Vivi, elle avait essayé de se consoler en glissant sa main dans sa culotte, à l'endroit même convoité par ceux-là qui déchiraient les fillettes. Se caresser tout doucement entre les cuisses. Parce que personne ne la caressait. Chercher son plaisir en solitaire comme l'amie cliente de Tatie Vivi. Parce qu'il est vrai que Sharon n'avait pas beaucoup d'occasions de se réjouir. Elle se souvenait de la danse guerrière de la négresse. Avait gardé en mémoire l'expression extatique de son visage. Parce que Sharon avait souvent tellement peur de ce qui pourrait lui arriver en ce monde. Parce qu'on lui demandait en permanence d'être grave et sérieuse et responsable. Parce qu'elle craignait d'être à tout moment abandonnée par sa mère, remplacée par un nouveau bébé. Parce qu'elle avait entendu l'un de ses professeurs dire que les femmes de la Ravine claire n'aimaient pas leurs enfants, faisaient des enfants seulement pour toucher de l'argent. Parce qu'à force d'écouter les histoires des unes et des autres, elle se sentait menacée par des invisibles de tout acabit... revenants, zombies, diablesses, soukougnans... Et depuis cette nuit-là, elle avait pris l'habitude de dormir avec sa main entre les cuisses. Pour se faire du bien. Pour se protéger...

« Qu'est-ce que t'attends, Ti-Sha ? répéta Gina. T'as pas peur, quand même ?... »

Non, elle n'avait pas peur. Il faisait grand jour. On était en 2009. Alors, sous le regard de sa mère, Sharon entra dans la chambre. Au mur, Yannick Noah et Admiral T souriaient comme ces faux amis qui vous mènent en bateau à la mort. En transe, Bob Marley agitait ses locks tentaculaires. Lui ne faisait pas semblant. Son visage était marqué par une douleur millénaire. Il savait que le monde était rude et la route tellement longue. Il savait que l'Histoire était un éternel recommencement, une longue suite d'échecs, de renoncements, de victoires brèves et si chèrement arrachées. Il savait qu'ici-bas il y aurait toujours des bons et des méchants, des dominants et des dominés. Il y aurait toujours des enfants affamés et d'autres arrogants, le ventre plein. Même si un nègre devenait président des États-Unis d'Amérique, il faudrait toujours se battre pour accéder à la lumière. Et lutter contre les forces invisibles, affronter les démons. Et marcher seul avec ses peurs, marquer et inventer son chemin au fur et à mesure.

Steeve lui avait donné le poster de Marley la veille de son arrestation. La mine sévère, le front barré de deux plis, il avait appelé Sharon à part pour lui faire un long sermon sur le ton de la confession, puis un genre de testament oral...

« Ti-Sha, je serai pas toujours là à veiller sur vous... Bientôt tu seras la plus grande. Tu t'occuperas de tes petites sœurs et aussi de Junior. Faut que tu saches quelque chose. Écoute ! Elle fait des enfants pour de l'argent. Rien que pour ses allocs... Faut que tu comprennes bien ça. À chaque fois qu'elle fait un enfant, elle gagne un pactole. Elle nous aime pas. Je te plains, tu sais... Qu'est-ce que tu vas devenir ? Regarde ce qu'est arrivé à Mona... Et elle s'en fiche, tu peux me croire. Je te jure que c'est la vérité... Moi, je m'en sortirai toujours... Pour toi, je sais pas... Fais bien attention à toi... Te laisse pas embobiner par les bougres déments qui déforestent les filles. Laisse pas ses hommes te toucher, t'as compris ?... Leur permets pas de t'approcher,

OK? Considère que ce sont des animaux sauvages dans la jungle et toi, t'es une pauvre gazelle qu'ils rêvent de dévorer. Ils ont faim d'une faim que tu n'imagines même pas. Ils sont si voraces qu'ils peuvent te sauter dessus à n'importe quel moment... Tu réfléchis pas, tu m'entends! S'ils viennent se frotter à toi, tu leur plantes une lame dans le ventre et tu leur coupes leur machin... Et tu te méfies, reste jamais seule dans la maison avec un de ces types même si tu l'appelles Tonton Untel... Garde toujours une arme pas loin de toi. Pour te défendre au cas où... Tu verras, le jour où ils m'emmèneront, elle sera bien débarrassée. Tu peux pas lui faire confiance. Elle ment. T'es seule, Sharon. Toute seule, n'oublie jamais ça. Alors, mets-toi sous la protection de Bob Marley et de sa parole. Si un jour t'as une chambre à toi, colle le poster de Bob au mur. Crois-moi, il t'inondera de sa lumière.

— Qui t'emmènera? avait demandé Sharon.

— Tu sais bien, les manblo, les chiens de l'ordre et de la loi...

— Et ça te fait peur, Steevy? murmura Sharon.

— Non, j'ai pas le droit d'avoir peur. C'est mon destin... Ils seront bien obligés de me relâcher un jour.

— Et pourquoi ils doivent t'emmener?

— Y a eu un grain de sable... Tu sais, ça arrive tout le temps. Tu calcules ton plan au millimètre et un grain de sable vient enrayer la machine...

— Où ils vont te mettre, Steevy ? s'inquiéta Sharon.

— Tu sais bien... dans un endroit où on te mange la cervelle, où on te détruit à petit feu... où tout peut t'arriver et où la mort t'attend à chaque minute... Mais j'te jure, je me laisserai pas casser, p'tite sœur. Crois-moi, je suis un nègre marron, un rebelle...

— Je veux pas, je les empêcherai...

— Eh ! T'oublies que je suis le Boss de la Ravine claire. Quand ils viendront m'arracher, fais surtout pas d'histoires, Ti-Sha... Tu bouges pas, t'as compris ? Tu sais, Ti-Sha, même s'ils enferment mon corps, ils pourront pas enfermer mon esprit... Et personne pourra jamais empêcher mon esprit de s'envoler... »

Sharon resta plantée au mitan de la chambre, avec la voix de Steeve dans les oreilles. Elle se mordait l'intérieur de la bouche.

« Tu bouges pas, t'as compris ! Personne pourra jamais empêcher mon esprit de s'envoler... »

Cela faisait déjà vingt mois qu'elle n'avait pas vu son frère aîné. Tentée de fermer les yeux, pour retrouver son visage, elle les ouvrit tout grand au contraire. Face au poster de Bob, elle aurait voulu ressentir quelque chose, une chaleur surnaturelle, un son, un éblouissement... Est-ce qu'il y avait parfois des moments magiques dans la vraie vie ? Oui, elle était prête à surprendre un phénomène extraordinaire à cet instant précis.

D'abord, elle se souvint des deux squelettes enfouis dans la terre. Non, elle ne les avait pas oubliés. Elle avait parfois tremblé en imaginant leur mort tragique. Mais en ce premier janvier 2009, sans broncher, elle aurait pu les regarder percer le béton et s'extraire de la dalle, faisant voler en éclats le carrelage qu'avait posé Tonton Max. Toutes les histoires terrifiantes qu'elle avait entendues ici et là semblaient maintenant s'imbriquer les unes aux autres d'une manière implacable.

Où était Steevy en ce 1er janvier ?

Est-ce que sa cervelle avait déjà été dévorée dans son entier ?

Est-ce qu'on avait fini de le détruire, de le réduire à petit feu ?

Combien de temps lui restait-il à vivre dans sa prison ?

Tout ça à cause d'un grain de sable...

Même pas un petit caillou, juste un insignifiant grain de sable.

Et Mona ? Où se trouvait-elle ?

À moitié noyée dans sa mangrove, mangée par les moustiques, rongée de l'intérieur par ses démons...

Est-ce que cet an neuf pouvait la raccommoder une fois pour toutes et la ramener saine et sauve à la maison ?

En avait-elle fini avec les petits cailloux blancs qui la faisaient driver si loin de la Ravine claire ?

Sharon se souvenait des histoires de Mona.

Se souvenait de chacune de ses frayeurs nocturnes.

Elle se rappelait aussi le jour où, pour faire plaisir à Grand-mère, elle avait servi de l'eau à boire à des invisibles.

Se rappelait les esprits édentés essayant le dentier d'Izora.

Les ombres marchant dans les pas de Gina.

Les formes allongées qui dansaient au plafond.

Les nègres marrons trucidés de Marga Despigne.

Les voyages immobiles de Mona.

Les morts qui s'ignoraient et se croyaient vivants.

Les enfants perdus dans la forêt.

Toutes les âmes en errance.

Les diablesses du château hanté.

Les zombies tombés de la dernière pluie.

Les soukougnans, les êtres malfaisants...

Les treize angelots de Dolly Mercéris.

Les démons sans chemise ni pantalon.

Les cent vies et des poussières de Vivi.

L'esprit maléfique qui habitait le corps de Billy.

Les revenants...

Et tout se mit à tourner dans sa tête. Les images se poursuivant l'une l'autre, faisant la course, se superposant et s'annulant comme des cartes au tarot. Mais dans ce carrousel insensé,

Sharon aurait voulu ne s'emparer que d'une seule image, celle de sa Tatie Vivi, afin de la ramener dans ce monde...

Hélas, elle eut beau écarquiller les yeux, il n'y eut pas d'apparition. Non, il n'y avait rien d'étrange ou de suspect dans la chambre. Aucun signe, aucune trace de la présence de Tatie Vivi ou de quelque autre fantôme. Sinon cette odeur tenace de vieille femme. Et ce parfum de lavande insolite qui flottait dans l'air comme un refrain têtu. Machinalement, Sharon compta les paquets de couches-culottes, les boîtes de médicaments, les flacons de solutions buvables supposés redonner mémoire et lucidité à la pauvre Izora.

Puis, elle commença à taper du pied sur le carrelage, manière de battre la mesure, de convoquer les esprits. Joyeuse, sans trop savoir pourquoi, elle aurait voulu danser sur un air de reggae. Et elle se prit à sautiller tel un jouet animé par une pile électrique. Une poupée de plastique. Avec dans la gorge l'envie de crier. De rire. De hurler. Mais au même moment, il y eut ces effluves de bête morte qui se substituèrent aux parfums de lavande et emplirent d'un coup ses narines. L'odeur pestilentielle de la mort, les relents de la charogne...

Je la regardais

Elle se souvenait de nous autres couchés dans la terre

J'aurais aimé lui dire qu'elle ne devait pas nous craindre

J'aurais tant voulu qu'elle nous voie
J'aurais voulu me faire entendre d'elle
Dire qu'elle devait se réjouir
parce que le nouveau bébé ne serait ni perdu ni vendu
ni vendu ni perdu ni vendu ni perdu
Lui dire que c'était sûr cette fois
C'était le dernier
le dernier bébé
C'était fini le sang et les larmes
C'était fini les chaînes et le fouet
Fini à jamais

Lorsqu'elle retourna dans la salle à manger, Sharon était très calme. Trop calme.

Tranquille dans les bras de sa mère, Billy buvait son biberon de lait en poussant des soupirs d'ogre repu.

Le regard absent, Junior trempait un croissant dans son bol de café.

Vorace comme à son habitude, Perle engouffrait un petit pain natté comme si elle craignait qu'on ne le lui ôte de la bouche ou bien qu'elle ne se réveille d'un rêve. Apparemment, le message de Tonton Max ne l'avait guère émue.

Quant à Judith et Katy, elles causaient gentiment, baignant dans une sorte d'insouciance quasi irréelle.

Seule Grand-mère attendait de voir réapparaître Sharon. Elle avait les yeux pleins d'espoir.

Sharon marqua un temps d'arrêt.

« Oui, je les ai vus, Grand-mère. Ils sont là. Il y

a une dame et son enfant. Ceux qui sont enterrés sous la dalle, Grand-mère ! Je les ai vus... Et j'ai vu Tatie Vivi aussi... Elle m'a dit qu'elle reviendrait bientôt... »

Et Sharon regagna sa place comme si de rien était.

Elle ne savait pas pourquoi elle avait dit ça. Les mots étaient sortis de sa bouche sans effort. Non, elle n'avait rien prémédité.

Autour de la table, ils suspendirent d'un coup leurs gestes et leurs conversations. Tous pris de stupeur. Même les petits qui ne mesuraient pas bien la gravité de la situation.

« Quoi ? Qu'est-ce que tu racontes ? finit par lâcher Gina.

— J'ai vu Tatie Vivi. Elle a dit qu'elle reviendrait bientôt ! répéta Sharon.

— Qu'est-ce qu'il t'arrive, Sharon ? Pourquoi tu inventes ces histoires ? C'est pas drôle de se moquer des morts...

— Je mens pas ! fit Sharon. Je mens pas...

— Mais ma pauvre fille, tu deviens folle ou quoi ? T'as des visions maintenant ? Mon Dieu Seigneur ! Épargnez-moi ! Mais qu'est-ce que j'ai fait au Bon Dieu ?... Voilà que ma petite fille a des visions... Dis-moi que tu nous fais une blague, Ti-Sha ! Je t'en supplie, dis-moi que tu nous fais marcher... »

Billy se mit à geindre tandis que Gina commençait à hausser le ton.

« Mais, j'en ai marre de vous tous ! Y en a pas un pour rattraper l'autre ! Alors, vous êtes tous tordus, tous décidés à me faire regretter de vous avoir mis au monde, c'est ça ?... Regardez-vous un peu ! Tous vous avez quelque chose qui cloche : le pauvre Junior avec sa jambe raide, Perle qu'est trop grosse pour son âge, Judith qu'a pas de chance et qu'est tout amochée, mon petit Billy qui a un diable dans le corps, et Katy avec ses yeux qui regardent de tous les côtés à la fois... Ici, c'est la cour des Miracles. Et toi, Sharon, tu veux être la folle du lot, c'est ça ?... Non, pas toi, Ti-Sha ! Dis-moi que tu viens d'inventer tout ça ! Hein, ma fille, allez, je t'en voudrai pas... Tu seras même pas punie. Allez, on oublie tout ! On recommence à zéro. Mon Dieu, Ti-Sha, c'est le premier jour de l'année, me fais pas ça...

— Je mens pas ! J'ai vu Tatie Vivi ! Et les autres aussi, les squelettes, je les ai vus...

— Ah ! Enfin ! soupira Grand-mère Izora. Et mon pauvre Justin-Auguste Bovoir, tu l'aurais pas vu par hasard, et Mme Débasse et M. Rameau qu'est si gentil, et Mlle Blaise, tu les as vus ?

— Non, fit Sharon. J'ai seulement vu Tatie Vivi et les deux autres...

— Jure que tu mens pas ! s'écria Gina. Jure devant Dieu ! Jure sur ta tête !

— Je jure sur ma tête, je jure devant Dieu que je les ai vus... »

Et soudain, des larmes se mirent à couler des yeux de Gina. Des larmes tellement abondantes qu'elles paraissaient presque fausses.

« Non, pleure pas, manman, fit Junior sans bégayer. Je vais voir. »

Et il quitta la table pour marcher vers la chambre.

XV

À midi pile, enjouées comme des dames du Secours populaire débarquant dans une case de bien braves miséreux, Églantine et Phillys étaient devant la porte, klaxonnant pour qu'on vienne les aider à porter les cabas et les fait-tout emplis de nourriture. Avec sa longue crinière de star noire américaine qu'elle ramenait en arrière d'un geste mi-emprunté mi-désinvolte, ses faux ongles coquelicot, son maquillage permanent et sa démarche de lionne tranquille drapée dans une robe de soie sauvage rouge, Phillys était flamboyante en ce Jour de l'An. On l'aurait dit sortie tout droit d'un film de James Bond et prête à sauver le Monde libre. Églantine avait préparé le repas toute seule, et semblait fatiguée derrière ses grands sourires. Cependant, on la retrouvait fidèle à elle-même, vêtue d'un boubou et coiffée d'une toque à la Winnie Mandela. Dany avait maintenant huit ans. Souriant de manière affectée, le garçonnet embrassa tout le monde, souhaita la bonne année et, sans plus de civilités, s'isola dans un coin avec un livre d'au moins trois cent cinquante pages. Le petit Dany brigand d'autrefois avait complètement disparu et, le regardant comme une curiosité, Gina reprit espoir.

Pendant au moins deux heures, elle l'avait cuisinée sans discontinuer. Sharon resta campée sur ses positions, affirmant et répétant sans sourciller qu'elle avait bien vu des invisibles. Gina essaya diverses techniques de sa connaissance pour la faire revenir sur ses paroles. La menace, l'intimidation, la ruse, la flatterie, les cris, les larmes, la supplication... Rien n'y fit. Sharon était entrée dans une sorte de tunnel et son mensonge semblait prendre corps et forme à mesure que sa mère l'exhortait à se dédire.

À onze heures du matin, Gina n'était plus en colère, seulement perplexe et perturbée. Elle demanda encore une fois : « Tu es sûre, Sharon ? »

Droite, les bras croisés, Sharon se tenait devant sa mère comme le témoin numéro un d'une affaire criminelle.

« Oui, je le jure !

— Et comment Vivi était habillée ?

— Elle avait une grande robe blanche...

— Et ses cheveux ?

— Elle avait des nattes, beaucoup de nattes...

— Faites avec ses vrais cheveux ou avec des rajouts ?

— Avec ses cheveux qui étaient devenus très longs...

— Et ses pieds, tu as vu ses pieds ? Est-ce qu'elle portait des chaussures ?

— Oui, on aurait dit des pantoufles fabriquées avec des plumes, un duvet blanc...

— Et sa voix ! Est-ce que tu peux dire qu'elle avait la même voix qu'avant ?

— Oui !

— Alors, répète exactement ce qu'elle a dit.

— Elle a dit : "Je reviendrai bientôt."

— Et c'est tout ?

— C'est tout...

— Elle n'a pas dit quand elle reviendrait ?

— Non...

— Et tu n'as pas eu peur ?

— Non... »

Gina poussa un soupir las. Elle-même était épuisée par le feu de ses questions, tandis que Sharon gardait un visage serein. Est-ce que Ti-Sha a un don de médium ? Tout peut arriver, pourquoi pas ? se dit-elle.

— Et pourquoi elle aurait eu peur de sa Tatie Vivie ? essaya Grand-mère.

— Et les deux autres, Ti-Sha ? » reprit Gina, tentant d'ordonner ses pensées.

Bien sûr, Junior n'avait rien vu parce qu'il n'y avait rien à voir. Comme le lui avait demandé Gina, il prit dans l'armoire les effets de Grand-mère — une robe, un soutien-gorge, un paquet de couches — et sur le bureau les médicaments habituels. En sortant de la chambre, il se tint un moment sur le pas de la porte, haussa les épaules et secoua la tête de gauche à droite à trois reprises, pour éviter de parler, se retrouver encore une fois à bégayer devant une assistance pétrifiée, guettant les mots qui sortaient de sa bouche, comme s'il avait été un magicien qui avalait et recrachait une enfilade de mouchoirs. Gina avait cessé de pleurer. Elle le dévisagea un instant avec attention, puis elle détourna son regard. Junior se dit qu'il aurait dû, lui aussi, raconter qu'il avait vu des revenants. Sa mère lui aurait peut-être manifesté un brin d'intérêt. Il regagna sa place à table en traînant la jambe, l'air jaloux d'un acteur auquel on a volé la vedette.

« Les deux autres m'ont seulement regardée sans parler, répondit Sharon. Une maman et son enfant, un petit garçon. Ils avaient les yeux tristes. Ils étaient habillés avec des sortes de casaques taillées dans de la grosse toile à sac. Ils étaient pieds nus. Tu sais, ils ressemblaient aux gens qui se déguisent en esclaves pour le carnaval. Est-ce que je pourrai aller chez Betsy cet après-midi ? »

Gina hocha la tête.

Le temps de déposer les marmites dans la cuisine, tout le monde se retrouva à chuchoter autour de la table de la salle à manger. Non, il n'était pas question d'ébruiter l'affaire. Mon Dieu, Gina raconta la scène du matin dans les moindres détails, s'aidant de ses mains et ses bras pour déplacer et positionner chacun des personnages, porter et soupeser leurs paroles.

Églantine était aux anges et toute revigorée. Jamais elle ne s'était trouvée aussi près de ses croyances occultes. Quant à Phillys, elle semblait curieusement déstabilisée, comme si elle était l'actrice d'une sitcom américaine égarée dans une telenovela brésilienne. À son arrivée, elle avait l'air d'une conquérante partant à l'assaut de l'année 2009. À présent, on aurait dit qu'elle avait une seule idée en tête : battre en retraite, fuir cette ambiance glauque où il était question de revenants et où on ressassait encore une fois sur le passé, la mort tragique de Vivi. Il était temps de s'intéresser à autre chose, de laisser les morts reposer en paix, bon Dieu ! aller de l'avant... Elle avait envie de crier, pleurer, cogner du poing sur la table. Envie de vomir et de ficher le camp, sans un mot, embarquer Dany, prendre sa voiture et démarrer illico. Et ne plus jamais revenir à la Ravine claire. Plus jamais...

Mais qu'est-ce que je fous ici ? se disait-elle dans un état de furie intérieure tout en s'efforçant de garder un faciès lisse.

« Elle a quelque chose à nous révéler. Oui, Viviane a une bonne raison pour rester là. Depuis ce temps... » On aurait cru qu'Églantine pensait à haute voix, pesant ses mots. Ou bien qu'elle tentait d'entrer directement en communication avec l'esprit de la défunte...

Phillys haussa les yeux au ciel.

Aujourd'hui 1er janvier 2009, je me sacrifie à descendre dans ce trou. Et pourquoi ? Pour écouter ces imbécillités. Non, c'est la dernière fois que je me laisse prendre... Non, ils me verront plus... D'ailleurs, je vais changer de numéro de téléphone, je veux plus l'entendre, cette folle de Gina, c'est fini... Je lui ai répété cent fois de ne pas écouter ma mère. J'avais ma copine Vivi, ma sœur Vivi... Mais je peux pas me trimballer toute la smala, c'est trop pour moi...

Et tandis que Phillys se parlait à elle-même, ses mains fouillaient dans son sac. Elle alluma une cigarette pour faire baisser la pression. Ses doigts tremblaient. Bien sûr, elle aurait voulu quitter la table.

« Où tu vas ? Reste là avec nous. T'en fais vraiment pas ! les gosses respirent de l'air pollué toute la journée...

— C'est vrai, renchérit Églantine, ils nous empoisonnent avec leurs pesticides et ils nous font la guerre pour de malheureuses petites cigarettes...

— Je vais juste un moment dans la cour...

— Pose tes fesses sur cette chaise ! » ordonna Gina. Puis, se tournant vers Perle : « Va prendre un cendrier pour Tatie Phillys, ma grosse poule...

— Et après je pourrai entrer dans la chambre pour voir ma Tatie Vivi ? demanda Perle.

— Non, c'est non ! Je t'ai déjà répondu... Personne ne remet les pieds dans cette chambre avant qu'on trouve une solution... J'ai déjà téléphoné à Tonton Max, il me rappelle dans une heure...

— Qu'est-ce qu'il pourra faire ? » marmonna Phillys.

Plus de deux ans que Vivi avait fait son saut de l'ange. Deux ans et trois mois... Et voilà qu'elle apparaissait à une enfant, comme la Vierge Marie à la pauvre Bernadette Soubirous. Et qu'est-ce que Phillys devait entendre ? Sa propre mère, Églantine, insinuait que Viviane avait certainement quelque chose à dire, qu'aucun esprit ne restait en transit sur la terre sans raison...

« Pourquoi tu fais la tête, Tatie Fifi ? demanda Judith.

— Mais non, je fais pas la tête, ma puce. »

Phillys se composa aussitôt un sourire genre *Gemey Maybelline*.

« Il voudrait avancer son billet de retour. Faut que Max voie ça avec son frère Bertin. Les travaux ne sont pas terminés dans la maison d'Issy-les-Moulineaux. Au pire, il ferait l'aller-retour, le temps de comprendre ce qui se passe. Il parle de déménager mais je suis pas prête...

— Où on va dormir ce soir ? demanda Perle.

— Ben ici ! Où veux-tu qu'on aille ? Tout à l'heure j'irai récupérer les affaires de votre grand-mère et après je ferme la porte à clé. Vous dormez dans votre chambre comme d'habitude, moi dans la mienne avec Sharon. Grand-mère couchera ce soir sur le lit de Sharon. »

Tous les regards convergèrent vers l'étroite banquette.

O.K. ! D'accord, je vais déjeuner avec eux, se dit Phillys à bout de nerfs. Et dès que c'est terminé, je me barre avec Dany. Si Églantine veut pas partir, c'est son affaire... Moi, j'en peux plus. Adieu ! Bye ! Bye ! Adios amigos !

Oui, elle s'était montrée patiente avec Gina et ses gosses. Tous ces gosses ! Gina et ses hommes. Tous ces hommes... Jusqu'au frère d'Harry Barline ! Jusqu'au frère de Harry ! Mon Dieu !... Rien qu'en pensant à cette aberration, Phillys en avait la chair de poule. Gina voulait soi-disant le rencontrer pour demander des comptes et elle s'était retrouvée au lit avec lui... Qu'est-ce que c'est, sinon de la folie ? Et Phillys ne l'avait jamais jugée. Bon, on peut faire une erreur une fois. Deux fois à la rigueur... Mais tu peux pas me faire croire que t'es pas malade quand tu me racontes que t'aimes te trouver enceinte, que tu te sens vivante et que t'aimes les bébés et que tu voudrais pas les voir grandir... Bon sang ! Achète-toi des poupées ! Y en a même qui parlent et qui font pipi...

Phillys se disait qu'elle avait déjà tellement fait pour Gina. Un gaspillage d'argent pour rien... Une perte de temps... Et pourquoi ? Par amitié, oui, en souvenir de Vivi...

Recouvert d'une épaisse couche de *MAKE UP FOR EVER HD hight definition foundation*, son visage fut soudain envahi de tics. Avec ses sourcils et le contour de sa bouche tatoués, elle ressemblait maintenant à un clown triste. Ses lèvres tremblotaient. Ses doigts pianotaient rageusement sur la table sans qu'elle s'en rende compte.

Bien sûr, au bout d'un moment, et pour la bonne compréhension du scénario, Gina s'était trouvée forcée de révéler qu'en mars 2007 ils avaient déterré deux squelettes au premier jour de la construction de la chambre de Sharon.

« Seigneur ! » s'écria Églantine en découvrant le fin mot de l'histoire. Elle fit aussitôt un signe de croix et secoua son pesant boubou *tie and die* violet et orange.

« Seigneur ! répéta Katy en ouvrant tout grand ses yeux affolés.

— Deux squelettes couchés là sous vos pieds ! continua Églantine. À présent tout s'explique ! Comment voulez-vous vivre en paix ? Y a pas de mystère, ils demandent réparation, mes pauvres enfants. Maintenant qu'ils sont sortis, ils vous laisseront plus dormir... Il faut les délivrer... Faut faire venir quelqu'un... Gina, je crois pas que tu devrais rester là avec tes enfants tant que le problème ne sera pas résolu... Tu n'as pas entendu parler d'un M. Aristophane Makambo ? Il travaille avec les forces du bien. Il s'y connaît dans ce genre de délivrance. Il est très demandé... Gina, tu devras t'inscrire sur une liste d'attente, mais ça vaut le coup... Faudrait lui expliquer qu'il y a urgence... Peut-être qu'il traitera le cas en priorité... Je réfléchis, je réfléchis... Je ne vois que M. Makambo pour affronter ce genre de créatures... Et le problème, c'est qu'il y a dans ce cas de figure une sorte de télescopage des temps. Oui, imaginez ! Plus d'un siècle et demi sépare la pauvre Vivi des autres qui viennent d'une époque reculée... Et pourtant ils se sont rencontrés dans cette chambre ! Ça, personne ne peut le nier... Moi, je peux me tromper, mais je crois que ce sont eux qui ont ramené Vivi... Eux, ils sont sur leur territoire. Ils étaient là depuis toujours... Quand vous les avez déterrés, vous les avez réveillés en même temps... D'une certaine manière, vous les avez rendus actifs et ils ont certainement capté l'esprit de Vivi... Parce que Vivi revient dans vos pensées, vos paroles, n'est-ce pas ?... C'est comme si vous l'aviez retenue... »

Églantine essuya la salive qui moussait aux commissures de ses lèvres et marqua une pause dans son montage de suppositions et élucubrations.

Gina la regarda d'un air dubitatif, la bouche retroussée en cul-de-poule.

« Qu'est-ce que tu racontes, maman ? souffla Phillys. Arrête avec tout ça, je t'en prie ! »

Mais Églantine était trop excitée pour se priver d'ouvrir son bec et jacasser sans fin.

« Je sais ce que je dis, ma fille, répliqua-t-elle. On a déjà fait appel à Makambo et tu n'as pas eu à t'en plaindre... »

Phillys fusilla sa mère du regard.

Izora rota.

Sharon sentit une sourde angoisse l'envahir. Que s'était-il passé dans son esprit en ce premier jour de l'année ? Quelles forces obscures l'avaient poussée à inventer ces visions ? Ah ! oui, elle avait voulu faire plaisir à Grand-mère, ne pas la contrarier... Elle aurait souhaité tout recommencer, remonter le temps et ravaler ses mensonges... Mais il lui semblait qu'il était trop tard. Son histoire était comme un petit feu qu'elle aurait allumé sans intention de nuire... Et qui avait enflé d'un coup. Rien ne pouvait plus l'arrêter... Et Sharon avait l'impression d'être maintenant une simple figurante qui regardait le monde s'embraser dangereusement au fur et à mesure que les heures s'écoulaient, que les paroles s'ajoutaient aux paroles... À ce stade-là, il n'y avait plus moyen de revenir en arrière... Les esprits étaient enflammés. Les bouches ne cessaient de déverser des mots et des mots qui alimentaient le brasier mieux que du bois sec.

Elle aurait bientôt douze ans...

Soudain, elle se dit que le moment était arrivé où elle allait devoir quitter la maison de sa mère, comme Steeve, comme Mona. Son tour était venu... Lorsque son mensonge serait démonté, Gina la chasserait de la case. L'occasion était trop belle pour faire la place au nouveau bébé.

Pourquoi songea-t-elle à cette fille qui habitait au bas de la Ravine claire ? Elle avait accusé son beau-père de l'avoir violée. Le bougre avait été arrêté dare-dare. Las, il eut beau crier son innocence, on le voua aux gémonies et il échoua à Fonds Sarail. Un tissu de mensonges, apprit-on, tandis que le pauvre homme moisissait en prison depuis au moins trois ans. La raconteuse d'histoires s'appelait Karine Jeanterre et ne tarda pas à payer pour son crime. Comme Mona, elle se mit à fréquenter la mangrove, ses eaux troubles et noires et poisseuses. On la vit errer dans les rues de Pointe-à-Pitre. Elle avait disait-elle perdu le chemin de sa maison, ne savait par quel bout prendre sa vie... Cherchait des réponses dans les petits cailloux blancs, la fumée qui colorait les yeux en rouge et brouillait la vue, mêlait les temps... la fumée ensorcelante d'où surgissaient des ombres inquiétantes et des figures pathétiques... Un jour, on avait retrouvé le corps de Karine Jeanterre sur une plage de la Grande-Terre. La mer elle-même l'avait rejeté...

En apprenant la nouvelle, Gina avait secoué la tête et lâché que les raconteuses d'histoires finissaient mal en général.

Quand on lui demandait ce qu'elle voulait faire plus tard, lorsqu'elle serait grande, Sharon disait qu'elle serait une historienne. Parfois, fièrement, Gina répondait à sa place, claironnant qu'elle avait une fille qui allait devenir professeur d'histoire. Et Sharon était obligée de préciser qu'elle voulait étudier l'histoire et non pas l'enseigner.

En fait, elle n'était rien d'autre qu'une raconteuse d'histoires...

« Faut voir s'ils sont là en permanence ou s'ils ne font que passer, à certaines heures... Faut comprendre le sens de leur visite... Faudra aussi savoir s'ils sont animés de mauvaises intentions ou s'ils sont plutôt envoyés en tant que protecteurs... s'interrogeait Églantine en sirotant son punch au citron.

— Ils ne m'ont jamais fait de mal ! s'écria Grand-mère Izora.

— Est-ce que tu penses beaucoup à Vivi depuis que tu es descendue à la Ravine claire ? demanda Églantine.

— Oui, oui, répondit Izora, chaque jour dans mes prières. »

Églantine gloussa, puis se rengorgea. Elle en connaissait des kilomètres sur le sujet. Et elle avait encore des quantités de « il faut et il faudra » en réserve...

« Faut pas se fier à une première impression, enchaîna-t-elle. Au début, les invisibles ne montrent jamais leur jeu. Il est impossible de connaître leurs motivations... Ils évoluent avec le temps, dans un sens ou dans un autre... Je ne veux pas vous effrayer, mais il faudra... »

Il n'était même plus question de mettre en doute les paroles de Sharon. D'ailleurs — mieux vaut tard que jamais — Églantine voulait confesser qu'elle avait toujours éprouvé d'étranges impressions en descendant à la Ravine claire, même en pénétrant dans la case. Frissons, sensations de côtoiements de corps sans fluide ni substance, air glacial tourbillonnant. Non, elle n'avait jamais osé aborder le sujet, mais le moment était venu. Et c'était un grand soulagement... Elle était persuadée depuis longtemps que la maison était hantée, habitée par d'autres, des entités... Elle sentait ces choses. Et, révélant cela, son visage s'éclaira soudain...

« Oui, ce n'est pas si surprenant que ça, murmura-t-elle. Ah, je comprends mieux maintenant...

— Quoi ? s'écria Phillys, d'une voix stridente.

« Non, non, le hasard n'existe pas... », continua Églantine.

Et elle se mit à marmonner que chaque événement sur cette terre avait un sens, un but, un objet, une conséquence, un tenant et un aboutissant... Rien n'était inutile, rien ne constituait déchet. Tout se transformait, se recyclait... Il fallait être vigilant, observer les signes, les êtres et les choses, le végétal, le minéral, respirer le monde qui n'était que merveille et génie... Et l'on pouvait vivre deux ou trois vies, on ne finissait jamais d'apprendre...

Oui, deux jours plus tôt, elle avait allumé sa radio. Émission standard, un invité s'exprimait entre des chansons du répertoire zouk des années quatre-vingt et des séquences publicitaires. On parlait des temps jadis. Elle prêta l'oreille. On causait d'un lieu, d'une petite histoire ignorée de la Grande Histoire... Oui, Églantine s'était assise pour écouter ce jeune chercheur africain-américain dont la famille était originaire de Trinidad du côté paternel et de Barbuda du côté maternel, et qui s'exprimait sur les ondes de RCI, Radio Caraïbes international. Parfaitement bilingue, il avait grandi à la Dominique avant d'émigrer avec sa famille aux États-Unis — en Caroline du Nord. Il parcourait la Caraïbe afin de collecter les vieux récits d'esclavage auprès des ancêtres. Il y avait urgence, répétait-il, car les aïeux se mouraient, emportant dans la tombe la mémoire de leurs peuples. Quand il évoqua le Ravin bleu en Guadeloupe, Églantine ne fit pas aussitôt le rapprochement avec la Ravine claire. Le récit avait été recueilli auprès des descendants dominiquais du nègre marron, le prénommé Hilaire, seul rescapé du grand massacre survenu en ce funeste lieu...

XVI

Hilaire...

Inconscient, blessé à la jambe et à l'épaule, le marron avait été laissé pour mort parmi les cadavres. Le lendemain matin, il se réveilla face contre terre, dans la puanteur d'un charnier. À la cime des arbres, le soleil jouait à cache-cache dans la touffeur d'un feuillage mordoré. Et des oiseaux à plumages chatoyants sifflaient et chantaient éperdument, perchés dans les branches qui pointaient vers le ciel. Tellement joyeux qu'on aurait dit qu'ils donnaient une fête. Autour de l'homme Hilaire, les rats des bois grouillaient et les rapaces étaient déjà à l'œuvre, en train de se repaître de chair putride. Rassemblant ses forces, notre bougre parvint à extraire son corps au quart enseveli sous des cadavres si lourds. Il rampa jusqu'à la rivière qui charriait des fûts énormes. Sans doute, plus haut, démembrait-on la forêt, juste pour lui, afin qu'il accomplisse sa destinée.

C'est ainsi qu'il descendit la rivière jusqu'à l'embouchure. Et il arriva sans encombre, moitié mort, à califourchon sur un tronc d'arbre comme sur un cheval borgne qu'il aurait pu mener à son gré. Autrefois, sur l'habitation de son maître, Hilaire avait été palefrenier et il avait gardé de son métier quelques rudiments qui lui furent salutaires au mitan des flots déchaînés, lui permirent de tenir bon sur sa monture. Cent fois, il aurait pu lâcher prise et mourir noyé, emporté par le courant, brisé en mille morceaux, jeté de roche en roche et finir disloqué, fracassé. Mais pour la seconde fois, la mort n'avait pas voulu de lui.

La mer lui apparut au bas d'un morne tel un lac d'émeraude et d'opale. Des pêcheurs se trouvaient là, ravaudant des filets sur la plage, à croire qu'ils passaient le temps en l'espérant. Ils le pansèrent sommairement, avant de le déposer avec toutes ses plaies et ses bosses dans un gommier blanc. Le fugitif ne connaissait pas sa destination. Peu importait. De toute façon, jamais on ne lui avait donné le choix. On aurait pu aussi bien le mener à la potence, il n'avait plus la force de se tenir debout, de s'opposer à quiconque, ni même d'émettre le moindre son. La traversée se fit sans un mot. Il n'entendit ni causer français ni anglais ni créole, tandis que la lune pleine trouait la nuit pareille à un fanal dans le ciel noir. Est-ce que ces sauveurs étaient de ce monde ? Nul ne sait... L'île voisine se trouvait à quelques encablures, avait connu son abolition de l'esclavage en 1833, année bénie... Depuis, Dominica et sa *Miss Liberty* attiraient les nègres en marronnage de toutes les terres avoisinantes. Ils construisaient des radeaux de bambou et branchages enlianés, des coques en noix de coco... Et vogue la galère ! *God saves Dominica !* Combien périrent en mer ? L'histoire ne le dit pas. Combien tentèrent le passage à la nage et furent avalés d'un seul revers de lame ? Combien, au risque de leur vie, préférèrent affronter les monstres marins, les récifs coralliens, les abysses et les requins plutôt que de rester dans les fers et l'enfer de l'esclavage ?

Yes, he did it ! Hilaire fut débarqué à Prince Rupert Bay au mitan d'une nuit épaisse et roussâtre et odorante comme la touffe d'une négresse chaude. Il aurait pu sourire à ce pays d'accueil mais il souffrait d'une fièvre qui augurait le pire. Il aurait dû pleurer d'une joie mesquine, songeant à sa chance et à ses compagnons morts à la Ravine claire, mais il n'était pas si certain de survivre lui-même. Par malheur, la gangrène avait déjà gagné une jambe, attaquée à mi-mollet. Et il délirait par moments, tenaillé par les douleurs multiples qui assaillaient son corps. Et dans des éclairs de lucidité, il demandait la mort pareille à une délivrance, un espoir de renaissance...

Pour le garder en vie, on dut l'amputer au-dessus du genou. Mais il fallait quand même se réjouir : hormis cette jambe qu'on lui avait ôtée d'un coup de sabre comme une branche malade, il était sauf. Et c'était sans doute ce qui avait bondé de joie le cœur des oiseaux du Ravin bleu. Ils savaient... L'un des nègres marrons était vivant ! L'un des négros de la Ravine claire allait vivre ! Alors, il y avait bien de quoi chanter et siffler et s'extasier mille fois. Non, il n'était pas seulement un chanceux. Il incarnait la vie. Il avait survécu à l'hécatombe. Et sa seule vie en valait bien cent...

Longtemps, à Roseau, il raconta son histoire en terre de Guadeloupe, sa glorieuse épopée à la Ravine claire qui au fil des ans se transforma en Ravine bleue puis en Ravin bleu, ensuite en Ravin Blue... Et notre homme connut plusieurs femmes dominiquaises qui ne craignirent ni sa jambe de bois ni son côté *Frenchie* un peu chauvin. Bien vite, il apprit à lire et à écrire en anglais et travailla dans une imprimerie de Portsmouth jusqu'à ses soixante-huit ans. Le dimanche, il ne rejoignait aucune église car, disait-il, le Dieu des catholiques ou des protestants n'aimait que les Blancs et se moquait des nègres. Oui, le dimanche, notre miraculé jouait de la flûte pour son Créateur qui, vivant dans les arbres comme les oiseaux du ciel, lui avait permis de goûter à la liberté.

Une flûte taillée dans un bambou mûr qui faisait entendre des mélodies d'eaux douces à l'accent français. Et Hilaire se souvenait avec nostalgie de sa vie de nègre marron sur la terre du pays Guadeloupe. Il y avait vu tellement de misère. Pourtant, il se rappelait qu'à la Ravine claire la vie était chaque jour un partage, une espérance peinte en bleu. Bleu comme la mer qui l'avait porté vers la liberté. Bleu comme le ciel dans son immensité... Ils n'avaient rien, ils se contentaient de ce que la nature leur offrait, ils ne connaissaient ni l'envie ni la jalousie, ils étaient peut-être heureux à la Ravine claire, jusqu'à en oublier que le monde était si cruel...

Avec deux femmes, Hilaire eut dix-sept enfants qui lui donnèrent quarante-huit petits-enfants et cent-vingt-quatre arrière-petits-enfants et etcetera d'arrière-arrière-petits-enfants qui prirent la mer et le ciel pour se disperser aux quatre vents du monde, jusqu'en Australie, au Chili, en Somalie, avant de devenir pères et mères à leur tour et de raconter d'autres légendes, des traversées héroïques, des exils osés, de périlleux chemins de solitude...

Oui ce nègre s'appelait Hilaire
Je me souviens
Il venait de l'Habitation Rannefeuille de Ménard
Il était palefrenier sur les terres de son maître
Il jouait de la flûte
C'était le seul qui jouait de la flûte
Je l'ai vu tomber parmi les autres
Tomber sur le côté comme un cheval terrassé
Je l'ai vu fermer et rouvrir les yeux
Et regarder courir éperdu mon petit Théodor
J'ai vu une larme couler sur sa joue
La larme d'un homme qui se meurt

Probablement que, les années passant et pour se rendre intéressant, sa mémoire vacillant, Hilaire enjoliva l'histoire qu'il léguait à ses descendants, la garnissant de fioritures au fur et à mesure. Un temps, il prétendit être le grand chef des marrons de la Ravine claire. Celui qui semait la ruine et la désolation chez les esclavagistes d'antan. En effet, le jeune chercheur de Caroline du Nord évoquait des plans de batailles de généraux, des razzias militaires sur les habitations, des plantations en flammes, des maîtresses mises à l'encan, des maîtres fouettés jusqu'au sang et roués de coups de bâton. À la fin de sa vie, notre Hilaire racontait qu'avant de s'enfuir, il avait caché le butin des marrons : pièces d'or et bijoux. Le lieu changeait selon les interlocuteurs. Parfois, le trésor était enfoui dans une jarre sous trois mètres de terre, au pied d'un mahogany centenaire. D'autres fois, dissimulé dans un sac de jute et amarré aux racines d'un arbre à pain. Ou encore, placé dans un coffre, enterré à égale distance entre deux roches rondes, semblables à deux boulets de canon.

Hilaire mourut à l'âge de soixante-douze ans, emportant avec lui le secret de son trésor. Il avait maintes fois préparé son voyage en Guadeloupe qu'il envisageait comme un retour aux sources. Mais il en avait toujours été empêché par mille prétextes et tracasseries qui surgissaient de l'horizon quand il s'apprêtait à dire *Good bye!* Il tombait malade inopinément : rage de dents, rhumatisme, élancements dans la jambe de bois, crampes d'estomac, mal caduc, grippe espagnole... Ou bien quelqu'un de son entourage mourait mal à propos et il ne pouvait manquer d'assister à l'enterrement... Ou encore, une poussière dans l'œil, une nuit sans rêve, un jour sans appétit... Quoi qu'il en soit, au dernier moment, il n'embarquait pas, ni dans le bateau ni dans l'avion qui promettait de le déposer à la Guadeloupe. Il se confia un jour à l'un de ses petits-fils qui, de manière un peu pressante, se proposait de l'accompagner — surtout pour les pièces d'or. Hilaire avoua qu'il était terrorisé à l'idée de retourner en ce lieu. Même pour le plus grand des trésors, il n'aurait pas le courage d'affronter le passé et revivre le satané jour où il avait vu le visage de la barbarie à la Ravine claire. Tout ce sang versé, ces corps mutilés, ces hommes et ces femmes assassinés parce qu'ils voulaient seulement jouir de leur liberté...

Églantine fut soudain prise d'un frisson.

« Je pense que la Ravine claire saigne encore de cette vieille blessure, Gina. Je ressens tout ça dans ma chair. Il faudra du temps, beaucoup de prières, des invocations et de l'eau bénite aussi, des quantités... Oui, ceux qui ont perdu leur vie là ne sont pas en paix. »

Puis elle se tut, laissant chacun imaginer le pire.

Le sang versé.

La terre et les bois environnants gardant en mémoire les cris des gens qu'on assassine.

La soif de sang des chasseurs de primes qui traquaient encore le nègre à l'avant-veille de la seconde abolition de l'esclavage...

Il jouait de la flûte
Hilaire n'aimait pas les combats
Il se retirait sitôt qu'une querelle se levait entre les fugitifs
Il charmait les femmes de la Ravine claire avec sa flûte
Il disait qu'il aurait aimé apprendre à lire et à écrire
Hilaire était celui qui avait rapporté l'histoire de Miss Liberty
Celui qui nous avait fait baisser la garde

— Bon appétit ! » lâcha Églantine en dépliant sa serviette.

« Bon appétit ! lancèrent en chœur les enfants. On les aurait dits affamés. Assis raides devant leurs assiettes fumantes, ils attendaient la permission de commencer. Gina avait fait le service et chacun — grands et petits — avait eu sa part de poule, riz blanc et pois rouges en fonction de la grosseur de son estomac.

« Merci pour cette nourriture, souffla Grand-mère. Que Dieu vous bénisse, mes enfants ! Que le Seigneur me permette aussi de retourner dans ma maison... C'est tout ce que je demande. Et si je dois mourir cette année, je préfère mourir chez moi à Lareine.

— Oui, tu as raison ! répliqua Églantine. Et d'ailleurs, tout le monde devrait monter à Lareine...

— On verra, fit Gina. On verra...

— Ça fait longtemps que je t'ai dit d'emmener tes enfants là-bas, murmura Phillys qui semblait se réveiller d'une longue absence. Faut penser à tes enfants, Gina ! Faut te mettre dans la tête qu'ils ne restent pas petits, ils finissent par grandir et tourner mal à cause de l'environnement, des voyous qui font la loi par ici... La Ravine claire, c'est pas un endroit pour...

— Oh ! Vous me faites mal au crâne avec vos sermons, coupa Gina. Allez ! On mange ! On parle plus de fantômes ni de *bad boys*... Allez ! C'est le premier de l'An ! On parle d'autre chose ! Tiens, pourquoi on parle pas de Barack Obama ?

— Mon Dieu ! Un négro président des États-Unis d'Amérique ! Ça c'est un beau sujet de conversation, s'enthousiasma Églantine.

— C'est pas un négro ! Sa mère est blanche.

— Oui, mais son père est un Africain !

— On dit qu'il est musulman...

— C'est quoi musulman ? demanda Judith.

— J'espère qu'il va donner des postes importants à des Noirs dans son gouvernement ! enchaîna Phillys. Et puis, qu'il va aider l'Afrique ! Qu'il va abolir la chaise électrique et gracier tous ces nègres qui dorment dans le couloir de la mort en attendant le jour du Jugement dernier... »

Tandis que les assiettes se vidaient, Sharon ne pouvait s'empêcher de songer avec angoisse à Steeve et Mona. Est-ce que Gina pensait quand même à eux de temps en temps ? Où se trouvait

Mona en ce moment, dans quel délire, dans quelle galère ? On ne l'avait plus revue depuis le mois de septembre... Et Steeve ! Que devenait-il dans sa prison ? Heureusement qu'il n'était pas né en Amérique... Sinon, il serait peut-être en train d'attendre dans le couloir de la mort pour faire un petit tour sur la chaise électrique. Si elle en avait eu le pouvoir, Sharon se disait qu'elle l'aurait fait évader de sa geôle. Elle lui aurait offert de vivre une autre vie. Une nouvelle vie...

« Barack Obama, c'est mon Dieu ! s'exclama Phillys. Si je parlais anglais, je m'exilerais en Amérique dès le 21 janvier. Avec ce Noir au pouvoir, ça va être la belle vie là-bas ! J'ouvrirais un salon de coiffure et je me marierais avec un Noir américain... »

Sharon retrouvait Phillys, la personne loquace et intarissable. Jusqu'alors, elle était apparue étrangement silencieuse, très mal à l'aise avec cette histoire de revenants. Imaginer sa sœur de cœur en fantôme lui était peut-être insupportable, se dit Sharon. Oui, Phillys avait écouté l'incessant babil de sa mère en se mordant les lèvres. Parfois, elle fixait la chambre, l'air inquiet. De temps en temps, elle tapotait le dos de Dany pour lui rappeler qu'il devait se redresser.

« Te marier ! s'exclama Églantine. Tu oublies que tu es déjà mariée avec ton Camerounais !

— Ça compte pas ! C'était un mariage blanc.

— Ah ! bon ! tu m'avais pas dit que t'étais mariée ! s'exclama Gina.

— C'est tellement loin tout ça... C'était quand je vivais en France. Besoin d'argent... Bref, je préfère penser à autre chose... »

Tout le monde était réuni autour de la grosse table de Jeannot Rocasse. Billy était étonnamment sage. Assis sur le banc comme les grands, et rehaussé par trois coussins, il tentait de manger seul sans trop de salissures. Sharon attendait que le repas s'achève pour rejoindre sa copine, Betsy Brown, et lui annoncer qu'elle avait des chances d'aller à la Dominique avec elle. Son Tonton Max, qui était un homme de parole, avait promis de lui offrir le billet de bateau.

« C'est quoi un mariage blanc ? fit Judith.

— C'est se marier avec un monsieur blanc, répondit Perle.

— Mais non, c'est un mariage pour de faux...

— Tu vois, fallait attendre un peu ! Il s'est bien calmé, ton petit garçon... », lança Églantine en enfournant le croupion de la poule roussie.

Gina opina du chef, l'air peu convaincu.

« Alors, ça vous a plu, les enfants ? Vous vous êtes bien régalés ? demanda Phillys. Églantine s'étira et regarda sa fille, soudain l'air grave.

— Est-ce qu'on va tous se transformer en zombies ? s'inquiéta Perle, sitôt qu'elle eut englouti sa deuxième platée de riz et pois rouge.

— Pourquoi tu dis ça ? répliqua Gina.

— Tu nous avais dit de pas parler des squelettes enterrés sous la chambre. Est-ce que je pourrai venir avec toi quand tu iras prendre les affaires de Grand-mère ? Je voudrais les voir moi aussi. S'il te plaît, maman. »

Gina se tourna vers Sharon, ne sachant que répondre.

Phillys avala un verre de vin, repoussa son assiette et prit une profonde inspiration :

« Non, non, non ! On va pas recommencer à parler de squelettes et de revenants, zombies et compagnie ! Si vous n'arrêtez pas, je pars tout de suite ! » Elle était tellement énervée que sa voix grimpait dans les aigus sans qu'elle puisse la moduler.

Églantine rétorqua : « Mon Dieu, Phil ! Pourquoi tu te mets dans des états pareils ? Faut regarder la réalité en face ! On ne peut pas faire comme si Sharon n'avait rien vu... Dans la vie, faut affronter les choses, les fantômes... C'est pas en adoptant la politique de la poule et de l'autruche que le problème sera réglé... Et d'ailleurs Gina va faire un gâteau fouetté et un chaudeau. Tu peux pas priver Dany d'un morceau de gâteau le premier de l'An... Mais, j'y pense, te fâche pas, si tu veux te marier pour de vrai, comment tu fais ?

— Je veux pas me marier, répondit Phillys. J'ai dit ça pour rire... »

Grand-mère s'essuya la bouche.

« Moi aussi je veux du gâteau, déclara Grand-mère. Après, je rentrerai chez moi... J'ai passé une bonne journée. Tu m'emmèneras, hein, Gina ?... »

Églantine hocha la tête comme si elle avait depuis longtemps un avis bien défini sur le sujet.

« Tu sais bien que tu ne peux pas rester seule la nuit dans cette grande maison... Le docteur a dit...

— Après tout, pourquoi tu la laisses pas retourner chez elle, Gina ? coupa Églantine. Moi non plus j'aurais pas aimé qu'on m'empêche de vivre chez moi.

— Elle est plus capable, soupira Gina. Faut que quelqu'un dorme avec elle.

— Ben, envoie Sharon ou Junior ! Ils sont grands, maintenant... Tu crois pas que l'un ou l'autre pourrait s'occuper de sa grand-mère si elle est en mauvaise posture ? Je les ai vus grandir, à mon avis ce sont pas des enfants qui pourraient te causer des ennuis. Je les vois très gentils tous les deux... Et puis, à Lareine, ils seraient pas loin de leur collège. Plus besoin de prendre le car. La journée, y aura l'infirmière et l'aide ménagère. Et le soir, les enfants... Max t'a dit qu'il rentre bientôt... À son retour, vous verrez comment vous vous organisez... Mais de toute façon, vous pourrez plus rester ici... Faut réfléchir...

— Faut réfléchir, répéta Gina.

— Je veux rentrer ! fit Grand-mère.

— Tout à l'heure ! répliqua sèchement Gina. Qui veut aller à Lareine ?

— Moi, je veux bi-bibi-bi-en y aller..., répondit Junior.

— Et toi, qu'est-ce que tu décides ? »

Sharon avait mangé son repas du bout des

dents, écoutant les conversations, fuyant les regards. Elle aurait voulu être invisible.

« Je suis d'accord, dit-elle.

— Bon, ben, vous irez tous les deux... On fait juste un essai ce soir.

— Phil va les accompagner, décida Églantine.

— Après le gâteau ! On partira après le gâteau et le chaudeau ! lança Izora tout en joie.

— Avant, je dois passer chez Betsy. Tu te souviens, manman.

— Oui, tu peux y aller ! fit Gina. Mais reviens avant six heures. On ne sait jamais ce qu'on peut rencontrer dans la noirceur... Tu dis bonsoir à la mère de Betsy. Et demande-lui si c'est toujours d'accord pour la Dominique à Pâques. »

XVII

Phillys regarda sa montre pour la énième fois. Après le déjeuner, elle avait fumé cigarette sur cigarette. Elle se consolait, se disant qu'elle devait prendre son mal en patience. Mais, elle se le jura, c'était bien la dernière fois qu'elle subirait une telle situation. Voilà ! C'était l'une de ses résolutions pour 2009. N'autoriser personne — surtout pas sa mère — à décider pour elle. En tout lieu, à toute heure, demeurer maîtresse de ses actes et de ses choix.

Églantine avait tout orchestré. Encore une fois, Phillys avait le sentiment qu'elle n'avait pas eu la voix au chapitre. On n'avait pas même jugé bon de lui demander son avis. Et c'était tellement simple. Puisqu'elle était la seule à avoir une voiture, elle devrait faire le taxi... Accompagner la vieille Izora à son domicile à Lareine avec deux de ses petits-enfants, les déposer avec armes et bagages, revenir à la Ravine claire pour récupérer Églantine et Dany, ramener Églantine jusqu'à sa maison de Trois-Rivières, et enfin rentrer chez elle, à Capesterre.

Il était quatre heures de l'après-midi. Encombrée de son ventre, Gina s'activait dans sa petite cuisine. Elle n'en finissait pas de battre les blancs d'œufs. Églantine et Izora faisaient une sieste, l'une dans sa berceuse, l'autre dans le fauteuil club de Gina. Elles ronflaient de concert. On aurait dit un trombone et une trompette. Hormis Billy qui, assis à même le sol, jouait avec la petite voiture rouge que lui avait donnée Junior, tous les enfants étaient pétrifiés devant les dessins animés de la télé, la plupart avec la bouche bée et le regard ahuri.

Il faisait particulièrement chaud dans la courette où Phillys s'était isolée pour fumer. Sa belle robe de soie sauvage lui collait à la peau. Si elle avait pu se défaire du personnage qu'elle voulait incarner, elle aurait coupé sa crinière de cheveux naturels empruntée à une Indienne inconnue. Et puis, elle aurait enlevé sa robe et, en slip et soutien-gorge, elle se serait baignée sous le jet du tuyau d'arrosage qui traînait dans la cour, comme lorsqu'elle était enfant. Et ses chaussures, elle les aurait enlevées aussi. Et elle les aurait surveillées sans en avoir l'air et peut-être que le fantôme de Vivi serait sorti de la chambre pour les lui voler. Mais si cela se produisait, Phillys ne dirait rien. Ce ne serait pas grand-chose. Que valait une paire de chaussures contre une vie ?

Gina glissa le gâteau fouetté dans le four, se disant qu'Églantine avait été bien inspirée. Oui, ma foi, c'était une bonne idée d'envoyer Sharon et Junior vivre avec Izora. Comment n'y avait-elle pas songé plus tôt ? Bien sûr, l'affaire des fantômes avait tout déclenché. Cela faisait des mois qu'Izora pleurait pour retourner chez elle mais, il fallait le reconnaître, Gina ne prêtait guère attention aux jérémiades de sa vieille manman. Son temps était échu. Le temps des commandements et des récriminations. Le temps des sarcasmes et des avertissements... Oui, l'idée était excellente ! La maison d'Izora était spacieuse. Chacun aurait sa chambre... Sharon et Junior s'entendaient bien. Non, il n'y aurait pas de combat entre ces deux-là... Ils s'occuperaient de leur grand-mère, apprendraient leurs leçons seuls, comme d'habitude. Ils savaient aussi tous deux préparer à manger, laver le linge, nettoyer une maison. Au fond, elle ne les avait pas si mal éduqués. Ils pouvaient se défendre dans la vie. Et le dimanche, jusqu'à mon accouchement, se dit-elle, je monterai les voir à Lareine, avec Max et les petits.

« Je te demande pardon, Vivi. Pardon pour tout le mal que je t'ai fait... murmura Phillys. Je pensais pas que t'allais prendre ça si mal. Mais on avait nos priorités : le VIP SHOW ! Bon Dieu, qu'est-ce qui t'a pris d'aller demander des comptes à Dolly ? Je te jure, je croyais pas que tu l'aimais tant que ça, ce crétin d'Harry Barline. Et de toute façon, je suis sûre qu'il se serait pas marié avec toi. Je suis certaine qu'il t'aurait fait souffrir si tu l'avais épousé. Alors, c'est pas la peine de rester là, à pleurer sur ta vie... Tu peux t'en aller, je te jure... D'ailleurs, il en a trouvé trois cents après toi... Mais tu savais bien que c'était un coureur... Il valait pas le coup de mourir... Et de toute façon, tu m'as toujours dit qu'on avait d'autres vies à vivre... Alors, je t'en prie, regrette pas trop celle-là... »

Pendant qu'elle battait le lait du chaudeau, Gina sentit des petits coups de pied dans son ventre, comme si le bébé était agacé par le mouvement qu'elle intimait à tout son corps. Une bonne odeur de cannelle et vanille montait du canari, embaumait toute la case.

« Promets que tu seras le plus gentil de tous mes bébés, lui chuchota-t-elle. Promets que tu resteras toute ta vie un ange ! Et moi, en retour, je te promets de m'en aller d'ici, pour que tu ne te transformes pas en un petit zombie ou bien en un esprit malfaisant... Pour que tu ne rencontres pas une balle perdue, et que tu n'aies pas besoin de prendre les armes et de chercher la guerre... Oui, je te promets de quitter la Ravine claire pour que tu trouves ton chemin dans la vie, pour que tu n'ailles pas t'égarer dans les mangroves, ou bien te faire dévorer par les lions des savanes. Pour que tu ne finisses pas enfermé dans une petite cellule. Pour que tu n'aies ni faim ni soif. Pour qu'on ne te blesse pas dans un combat imbécile. Pour que tu n'aies pas peur. Pour que tu n'aies pas à montrer les dents à cause d'un mauvais regard. Pour que tu n'aies pas besoin de fumer et boire pour voir la lumière du jour. Mais tu ne dis rien à personne, c'est notre secret à nous deux... »

Apaisée par ses propres paroles, elle caressa son ventre et regarda se garer l'infirmière qui revenait déjà pour la toilette du soir d'Izora.

« On va s'occuper de Grand-mère. On a du monde. Et d'ailleurs, elle s'est même pas souillée aujourd'hui, fit Gina. Tu reviendras demain. Mais, elle sera chez elle, à Lareine.

— Toute seule !

— Non, Sharon et Junior seront là aussi. Izora veut plus rester ici.

— Et les médicaments ?

— T'en fais pas, je vais lui donner ses cachets plus tard... Et à partir de demain, tu vas là-bas... »

Débarrassées de l'infirmière, Églantine et Gina entrèrent dans la chambre en s'avançant précautionneusement. On aurait dit qu'elles craignaient de marcher sur la traîne d'une mariée ou bien de piler des œufs. Junior les escortait. « On ne sait jamais, avait lâché Églantine. Toi, tu es enceinte, moi je fais de l'hypertension... Vaut mieux avoir une présence masculine pour équilibrer les forces... Même s'il n'a que dix ans et demi, Junior peut impressionner par sa taille. »

Non, rien ne semblait avoir été déplacé dans la pièce, sur le bureau ou dans l'armoire. Le lit était tel que laissé le matin même. En vitesse, avec des gestes mesurés, il fallut changer les draps, vider le seau hygiénique et passer la serpillière dans la pièce. Ensuite, Églantine emplit une valise des vêtements et des produits de toilette de Grand-mère. Et elles fermèrent la porte à clé derrière elles.

Pendant l'expédition, Églantine ne put s'empêcher d'assurer qu'elle sentait des vibrations, un genre de roulis comme si elle était dans la cale d'un bateau... Gina aurait bien voulu ressentir quelque chose mais il n'en fut rien.

. . . .

Il fallut attendre jusqu'au 19 janvier le retour de Tonton Max. Avant de rentrer, il tenait à terminer une partie importante du gros œuvre de la maison de son jeune frère. En France, on était au mitan de l'hiver et de son travail dépendait la mise hors-eau et hors-air de l'étage. Il téléphonait tous les soirs, parlait longuement à Gina, puis à chacun des enfants. Il disait qu'il reviendrait bientôt. « Surtout, non, Gina ! Pour l'instant, laisse M. Mokambo là où il est avec sa science et ses pouvoirs... Je reviens bientôt... Tout ira bien... N'ouvre pas la porte de la chambre ! »

Le premier de l'An, en remuant son chaudeau, Gina avait déclaré qu'elle voulait inventer un gâteau en l'honneur du Président Obama. Il lui restait vingt jours pour réaliser la recette idéale qu'elle n'hésiterait pas à envoyer à Mme

Michelle Obama. Ce gâteau serait aux parfums de la Guadeloupe et elle le referait le 21 janvier prochain, jour de l'investiture, pour le déguster en famille en regardant Barack à la télévision.

Et elle tint sa promesse. Tous les matins, les enfants partis à l'école, Gina fit un gâteau de sa composition, cherchant LA recette à la hauteur de l'événement, notant avec application les ingrédients, les proportions et les épices.

Elle en fit dix-huit.

Dix-huit gros gâteaux.

Au début, elle pensait fourrer ce gâteau très spécial avec trois confitures, coco, goyave et fruit de la passion. La pâte devrait être très légère, parfumée bien sûr de cannelle, muscade et vanille, mais aussi d'un soupçon d'anis étoilé et de fines râpures de zeste de citron vert. Elle voulait créer un gâteau à trois étages, extraordinaire, subtil et délicieux, enivrant comme un alcool fort, plus beau à voir que la tour Eiffel.

C'était sa manière à elle d'occuper son esprit, de passer le temps en attendant Max et le bébé, de vivre dans la proximité des supposés fantômes, sans trop s'angoisser. Et aussi de faire rentrer de l'argent, puisqu'elle découpait des parts de ses gâteaux qu'elle laissait en dépôt-vente à la boutique de la Ravine claire.

Depuis leur départ, le premier de l'An, Sharon et Junior étaient revenus à plusieurs reprises, chercher des vêtements, des livres, des chaussures et de l'argent. À aucun moment, ils n'avaient demandé à rester. On aurait même dit qu'ils étaient bien contents d'avoir quitté la Ravine claire. En effet, ils ne s'attardaient pas, emplissaient en catimini des sacs et des cabas avec leurs affaires et filaient sans se retourner. Ils semblaient se plaire à Lareine, dans la grande maison d'Izora où ils avaient pris leurs quartiers. À les entendre, on aurait dit que Grand-mère était complètement rétablie. Bien sûr, l'infirmière continuait ses soins. Par l'aide ménagère qui avait repris du service auprès d'Izora, Gina savait que la Tatie Olivia Cosmos rendait des petites visites à Junior, l'emmenait en promenade, au cinéma, à la bibliothèque et au restaurant. Oui, Sharon et Junior se débrouillaient très bien pour tout ce qui concernait l'entretien de la maison, la lessive et la préparation des repas. Et ils ramassaient aussi le courrier, géraient l'argent de leur grand-mère, payaient ses factures. En fait, c'était comme si, à douze et dix ans, ils n'avaient déjà plus besoin de leur mère.

Quand il avait appris que la vieille Izora était repartie à Lareine avec ses deux petits-enfants, Max avait semblé réticent. Il avait dit de surtout faire attention aux feux de la cuisinière, à la bouteille de gaz, aux allumettes, à la lampe à pétrole... « Un malheur est si vite arrivé ! » Et d'Issy-les-Moulineaux, comme une mère inquiète, il téléphonait chaque jour à Sharon, ressassant ses couplets préventifs.

Le lundi 5 janvier, le facteur jeta une enveloppe bleue dans la boîte aux lettres. Il y avait le cachet d'un bureau de poste de Baie-Mahault. C'était Steeve.

Gina déposa le courrier sur la table. Est-ce qu'elle était une si mauvaise mère ?

Elle avait le sentiment d'avoir fait de son mieux.

Est-ce qu'elle était folle ?

Avait-elle rêvé, le jour où il avait manqué la cogner... le jour où il l'avait insultée comme si elle n'était qu'une femelle racaille ?

Qui pouvait se permettre de la juger ?

D'une manière ou d'une autre, se dit-elle, les enfants grandissent et finissent toujours par s'en aller. Il fallait bien l'admettre, Phillys avait raison...

Ce matin-là, elle prépara un tourment d'amour à sa façon. À la base, il s'agissait de la recette d'un gâteau saintois bien connu. En râpant le gingembre, Gina imagina un gâteau qui porterait autrement ce nom. Il se devrait d'enflammer la bouche et les sens, d'affoler les papilles. Il fallait réussir une pâte onctueuse qui fondrait dans la bouche. Elle mêla les jaunes et le sucre jusqu'à obtenir un ruban blanchâtre. Ensuite, elle ajouta la farine tamisée, ses épices, sans oublier la muscade forte de Routhiers et la petite larme de rhum vieux. Puis elle monta les blancs en neige ferme et les incorpora délicatement à l'appareil...

Sur ses sept enfants, quatre étaient déjà partis.

Les deux premiers sur de mauvais chemins que personne n'avait envie d'aller défricher. Trop d'herbes coupantes, d'épineux, d'ornières traîtresses. Est-ce qu'il était trop tard pour Titi ? Et Mona ? Comment la repêcher dans son marigot ?

On aurait pu croire que les deux suivants avaient pris leur envol un peu jeunes, mais ils ne s'en tiraient pas trop mal. Déjà sept jours que Sharon et Junior avaient quitté la Ravine claire et ils n'étaient pas morts de faim ni de soif, et aucun loup ou lion ne les avait dévorés.

Il ne restait plus que les petits, les deux filles et le garçonnet, sans oublier l'enfant de Mona. Le matin, une voisine passait prendre Perle, Judith et Katy pour les emmener à l'école. Elles mangeaient à la cantine qui était gratuite pour les gosses de la Ravine claire. Et elles rentraient vers les cinq heures de l'après-midi, quand le soleil déclinait déjà et que l'air frais de janvier s'invitait dans les cases.

Et Gina restait pratiquement toute la journée seule avec Billy, dans une paix qu'elle n'aurait pu espérer, enivrée par l'odeur des gâteaux qui embaumaient la case jour après jour. L'après-midi, assise dans son fauteuil club, elle regardait ses feuilletons. Inspirée par les personnages des fictions, elle passait en revue les hommes de sa vie. À ses pieds, Billy jouait avec la petite auto que lui avait donnée Junior. On aurait dit qu'il avait trouvé son calmant. Il faisait rouler la voiture sur le lino pendant des heures, jusqu'à tomber de sommeil et s'effondrer à même le sol. Pendant ce temps-là, doucinant son gros ventre, Gina arpentait les hauts et les bas de son existence, déroulait le film à l'endroit et puis à l'envers, enfin elle s'endormait à son tour. Et dans ses rêves de l'après-midi, elle continuait à revivre ses rencontres avec les pères de ses enfants. Tout prenait alors une dimension magique et merveilleuse. Kounta surgissait d'une carte postale et se retrouvait à marcher dans les ruelles de la Ravine claire. Et à chacun de ses pas, il abandonnait un peu de latérite ramenée de ses voyages africains.

Elle s'entendait parfois causer avec Vivi, comme si sa petite sœur était toujours vivante. Et quand elles avaient fini de parler, Vivi partait en courant. On aurait dit qu'elle vivait dans une grande savane. Et dans les arbres, pendus aux branches, il n'y avait pas de fruits ni mangos roses ni prunes de cythère mais des chaussures de toutes formes et couleurs.

Le 9 janvier, Gina décida de faire un gâteau à l'ananas. C'était le gâteau des rois, puisque l'ananas était le roi des fruits avec sa couronne. Bien entendu, il fallut préparer un caramel et en napper le moule. Déposer les rondelles d'ananas frais préalablement trempées dans du rhum vieux. Et puis, ajouter la pâte et enfourner. Comment apporter sa touche à ce classique de la cuisine créole ? Gina prépara une confiture d'ananas bien parfumée de cannelle et vanille. Le gâteau cuit à point, elle le démoula et le laissa reposer. Ensuite, elle le fendit en deux et le fourra d'une belle couche de confiture d'ananas. Un délice !

Une fois, en songe, elle se revit enfant, réclamant une poupée à Izora. Une grosse poupée noire qui trônait dans la devanture du magasin de M. Habib. Et Izora ne lui avait dit ni oui ni non. Elle lui avait pris la main et l'avait méchamment tirée, l'avait traînée dans toute la rue principale de Lareine tandis qu'elle criait, réclamant sa poupée.

Le 12 janvier, elle décacheta l'enveloppe de Steeve.

Que demandait-il encore ?

À quinze ans, Gina s'était mise à rendre ses sourires à Fred Palmis, un coquin de livreur de pain qui passait matin et soir avec sa Kangoo dans toutes les rues de Lareine en klaxonnant. Quand Izora envoyait l'une ou l'autre de ses filles se poster sur le trottoir pour arrêter la voiture de pain, Gina se précipitait la première. Son cœur palpitait. L'insignifiant lui faisait toujours un compliment ou bien balançait une phrase à double sens où il était question de coups de bâton, de fleur ouverte... Passé trente ans, Fred Palmis savait comment ferrer les filles. Il faisait les yeux doux à Gina. Il retenait sa main dans la sienne quand elle tendait sa monnaie. Parfois, il lui donnait un petit pain natté tout chaud et doré et, par on ne sait quel tour de magie, elle avait l'impression qu'il lui offrait un médaillon en or massif. Quand il lui apportait un gâteau tourment d'amour, Gina imaginait qu'il mettait son cœur à nu, lui parlait de manière oblique de son désespoir de ne pas la voir répondre à ses avances. Elle se croyait la seule élue, ignorant que, durant sa longue tournée, Fred Palmis ne se privait pas de courtiser tout ce qui portait jupon. Un jour, il lui dit qu'il ne pouvait plus attendre et qu'il irait demander sa main à sa mère, Izora Bovoir. Et c'est ce qu'il fit, tenant parole. Neuf mois plus tard, précisément le 24 juillet 1987, Gina mettait au monde un gros bébé de quatre kilos et deux cent cinquante grammes qu'elle baptisa Steeve. Fred déclara qu'il cherchait une maison. On baptisa l'enfant en grande pompe. Et puis, le 5 octobre 1988, Mona naquit à son tour. La petite fille était le portrait craché de Fred Palmis, une beauté rare de trois kilos quatre cents... Et puis Fred Palmis avait disparu de sa vie.

Gina avait tellement chéri ses deux premiers bébés...

Titi et Nana...

Je te demande pardon. S'il te plé, ne m'oublies pas.
Signé : Steeve, ton fils.

Elle attendait maintenant son huitième bébé, caressant son ventre, en lui causant à mi-voix.

Elle attendait Max et son cœur sautait de joie quand elle reconnaissait sa voix à l'autre bout du fil.

Attendait que quelque chose se passe dans sa vie.

Attendait que quelque chose change en Guadeloupe.

Attendait que quelque chose bouge dans le monde.

Attendait l'investiture de Barack Obama dont toutes les chaînes de télévision parlaient à longueur de journée...

L'ambiance était feutrée. Elle laissait les persiennes baissées de façon à ce qu'elle voie ce qui venait de la rue sans qu'on puisse entrevoir ce qui se passait en dedans de la case, dans une lumière tamisée où flottait la poussière. Parfois, elle s'arrêtait devant la porte fermée à clé. Écoutait. Même au milieu de la nuit, pour les surprendre dans leurs conversations. Et le temps semblait suspendu. Ils étaient là, de l'autre côté de la porte. Non, depuis le temps, ils n'avaient pas l'air d'être dans de mauvaises dispositions...

Seul avec sa maman, Billy s'était assagi. Il dormait beaucoup, comme s'il devait récupérer d'un long voyage. Chaque jour, il était le premier à goûter le nouveau gâteau que Gina avait préparé. Ses yeux s'arrondissaient de gourmandise. Et elle disait : « Je l'ai fait avec amour, ce gâteau-là. Avec tellement d'amour... » Et Billy se frottait le ventre et dansait de plaisir.

Le jeudi 15 janvier, l'Italien retrouva Dolly Mercéris morte dans son château. Étranglée. Cela faisait trois jours qu'elle avait disparu. Seuls quelques chanceux eurent le temps de pénétrer dans la salle de séjour carrelée. Ils purent apercevoir la Miss. Ils faillirent ne pas la reconnaître tant sa peau avait été décolorée. Dolly était presque blanche. Au moins trois jours qu'elle était morte là. Ses chairs avaient commencé à se décomposer. Et les vers festoyaient. Un rictus de grand étonnement déformait son visage. Les gendarmes eurent tôt fait d'envahir les lieux et de sécuriser les abords. Les curieux qui se pressaient autour du château eurent beau se contorsionner et se grimper les uns sur les autres, ils ne virent rien d'autre qu'un brancard et le bout d'une grande housse noire s'enfourner dans un van qui avait déjà tout l'air d'un corbillard. Ah ! Seigneur ! Que feraient les gens s'ils n'avaient pas de langues ! En un petit moment, cent bruits se mirent à courir dans toute la Ravine claire, pareils à des rats détalant loin d'un champ de canne en flammes... Comme quoi la fille avait surpris des dealers dans sa cuisine — ceux-ci avaient donc dû la faire taire... En effet, depuis peu, Hunt Man et ses soldats avaient trouvé le moyen de squatter le château. On racontait aussi que le jardinier et la femme de ménage censés entretenir les lieux avaient facilité l'intrusion des bandits qui les auraient payés pour garder le silence... Et puis, on disait aussi qu'elle avait fini par attraper le Sida, qu'elle avait un ventre postiche sous sa robe, que l'Italien faisait semblant de pleurer, mais qu'il avait assassiné lui-même la pauvre Miss Coloquinte...

Pour la première fois de sa vie, Gina attendait un homme. Et elle comptait les jours. Oui, elle était soudain pressée de quitter la Ravine claire, comme si elle courait un grand danger, comme si ses petits enfants étaient menacés. L'affaire

Dolly Mercéris l'avait bien secouée et, le lendemain matin, elle avait tenté de réussir un gâteau abracadabrant, au café et à la cannelle, que Billy avait recraché en grimaçant.

J'ai vu quand la tache a commencé à s'effacer
À cause de l'amour
À cause de l'espoir
À cause de l'autre qui prenait des forces dans le ventre de sa mère
La petite fille libre
Celle qui ne serait ni perdue ni vendue
Ni perdue
Ni vendue
Celle qui allait effacer la peine de tous les autres
Tous les autres perdus vendus
Celle qui allait racheter la liberté de tous les autres
Tous les autres nés avant elle
Perdus vendus

Le 19 janvier, Gina prépara un somptueux gâteau au chocolat, une sorte de forêt noire créole, se disant que ce gâteau plairait sûrement au futur Président Obama. Elle l'avait préparé avec des épices et un cacao doux récoltés en Guadeloupe, sur les flancs de la Soufrière. Lorsqu'on en mangeait une bouchée, on était transporté en terre de délices et puis, submergé de senteurs, on avait véritablement l'impression de s'enfoncer dans la touffeur d'une forêt équatoriale. Si on fermait les yeux, on voyait nettement des arbres habités par les toucans et parés de toutes leurs lianes, des orchidées sauvages et des bonobos tranquilles dans les hautes herbes, attendant que le jour passe.

XVIII

À peine arrivé en Guadeloupe, Max déboula dans le salon de coiffure de Phillys Bordage. C'était la première personne qu'il voulait voir. De France, il avait tenté de la joindre à plusieurs reprises, sans succès. Elle n'avait pas le temps, devait s'occuper d'une cliente, il était trop tard ou trop tôt... Elle avait toujours une excuse à la bouche.

« Assieds-toi, je finis avec une permanente et je suis à toi... Je t'attendais. »

Le salon était d'une tenue impeccable. Tirées à quatre épingles, les employées s'activaient auprès des clientes avec des sourires de composition et une manière féline dans leurs déplacements.

Dolly invita Max à la rejoindre dans une pièce adjacente qui servait de bureau.

« Tu as dit à Gina que tu venais me voir !? demanda-t-elle en allumant une cigarette.

— Bien sûr que non. Elle sait que je dois arriver aujourd'hui, mais je ne lui ai pas donné d'heure. »

Phillys arborait ce jour-là une coupe à la garçonne. À ses oreilles ballottaient deux énormes créoles en bakélite. Sa minirobe couleur indigo n'avait pas dû demander plus d'un demi-mètre de toile. Et ses chaussures ! Une plate-forme de dix centimètres avec des lanières qui lui grimpaient le long des jambes comme des serpents, se croisant et s'entrecroisant.

« Tout ça, c'est de la faute à Dolly, commença-t-elle en s'affalant dans un fauteuil en cuir.

— Les morts ont bon dos ! Gina m'a dit qu'on a retrouvé Dolly morte dans son château jeudi dernier... Tu vas pas me couillonner. Je sais ce que tu es allée raconter à Harry ! Mais ce que j'aimerais comprendre, c'est pourquoi tu as fait ça. Il m'a juré qu'il voulait vraiment se marier avec elle...

— Excuse-moi, mais ton frère t'a raconté des bobards...

— T'es une vraie garce, Phillys Bordage !

— Hé ! M'insulte pas chez moi, tu veux bien... Si tu peux pas causer poliment j'appelle les flics tout de suite et tu dégages vite fait ! Tu me fais pas peur, Max Barline... Si tu savais, j'ai eu à faire à des plus costauds que toi et je suis toujours là ! Bien debout, par la grâce de Dieu...

— O.K. ! Laisse Dieu en dehors de ça. J'ai jamais frappé une femme et c'est pas aujourd'hui que je vais commencer...

— Ouais, disent toujours ça au début, les hommes...

— Bon, c'est bien toi qui lui as dit que Vivi

était une fille volage, qui avait eu des quantités d'amants et qu'il ne devait pas lui donner son nom... »

Phillys secoua la tête, tapota sa cigarette sur le bord du cendrier...

— Qu'est-ce que j'en ai marre de cette vieille histoire !...

— Alors, tu vas finir par expliquer ce qui t'a poussée à trahir ta soi-disant meilleure amie ? Tu savais bien que Vivi n'était pas la fille que tu as décrite à Harry... »

Phillys se gratta sans vergogne l'intérieur des cuisses. Puis elle regarda son reflet dans le miroir et lissa ses cheveux plaqués.

« Tu vas pas raconter ça à Gina, hein ?... C'est la colère... Rien d'autre. Bien sûr, après j'ai regretté. Mais j'étais en colère. J'en avais assez de galérer. Dolly était d'accord pour nous prêter de l'argent... Beaucoup d'argent... Avec, on devait ouvrir le VIP SHOW. On était associées. C'était notre bisness à nous... Tu comprends, on allait enfin avoir notre salon à nous. Mais sans l'argent de Dolly, il nous aurait fallu attendre encore au moins trois ans. Les banques ne nous regardaient pas d'un très bon œil. À l'époque, j'avais un paquet de crédits... Et Vivi, c'était quoi ses économies ? Des millions en chaussures ! Dolly, c'était notre chance, notre salut... Et c'est sûr qu'on aurait cartonné toutes les trois...

— Et alors ? Qu'est-ce qu'elle avait à voir avec Harry ?

— Non, rien... Rien du tout... Le fait est que

Vivi est allée voir notre poule aux œufs d'or pour finaliser l'affaire et, un mot en poussant un autre, la conversation a dérapé grave. Oui, je peux pas te dire comment, mais Vivi a commencé à lui reprocher d'avoir avorté treize fois, si je me souviens bien... Et elle lui a fait la morale. Dolly était une fille hypersensible. Au bout de dix minutes, elle était en larmes... Tu te rends compte ! Je sais pas ce qui lui a pris à Vivi. C'est pas des choses à dire même si c'est la vérité... Et en fait, je crois que cette histoire était une pure invention... Dolly avait peut-être avorté une, deux fois mais pas davantage... Alors, voilà, ça a fait un cancan pas possible et à la fin, Dolly a dit qu'elle était déçue et qu'elle ne nous prêterait pas son argent... Moi, j'ai pété les plombs... Le même jour, je suis allée voir Harry et j'ai dit n'importe quoi, pour faire du mal, pour me venger de Vivi, pour mettre en péril son mariage... »

Phillys renifla, donna l'impression d'essuyer une larme.

« Arrête ton cinéma et passe-moi un verre d'eau, fit Max. Comment tu as pu faire une chose pareille ?

— Et elle ? C'est pas mieux ce qu'elle a fait ! Regarde-moi ! Regarde ce salon ! Vivi aurait pu être là, à profiter avec moi... Tu crois que j'y pense pas tous les jours ? Après l'enterrement, Dolly est venue me voir. Je crois qu'elle avait des remords. Peut-être aussi qu'elle croyait que c'était à cause d'elle que Vivi s'était jetée du haut de la tour... Elle m'a donné tout l'argent qu'elle avait promis... Oui, donné ! C'est grâce à Dolly que le salon existe aujourd'hui et je peux te dire que les affaires marchent et...

— Tu te rends même pas compte du mal que tu as fait ! coupa Max. Cette pauvre fille s'est jetée du quinzième étage à cause de toi ! Parce que tu as raconté des mensonges à mon frère... Et lui, il avait tellement peur de mon père... Tellement peur de salir le sacré beau nom des Barline qu'il n'a pas pris le risque de le donner à une fille volage... Mais il ne pensait pas qu'elle irait jusqu'à se suicider, cette pauvre fille. Voilà, tout ce gâchis à cause de gens comme toi, sans cœur, et d'autres lâches comme Harry... Parce que, finalement, le beau nom des Barline a bien été traîné dans la boue, la première page du *France-Antilles*... Je pense à mon père qui s'est rendu malade toute sa vie pour ne pas crotter le nom des Barline ! Pauvre bougre, il a quand même été éclaboussé. Moi, ça m'aurait rien fait de m'appeler Goret... Max Goret...

— Et maintenant y a cette histoire de fantôme, lâcha Phillys en s'étirant. S'il te plaît, Max, dis rien à Gina... Toute façon, ce qui est fait est fait, on peut plus revenir en arrière...

— Non, je veux pas lui faire de peine. Je vais seulement te demander de ne plus jamais l'approcher, ni toi ni ta mère... Tu as bien compris ?... Vous êtes des personnes néfastes... »

Sur le chemin du retour, Max s'arrêta à Lareine, chez Grand-mère Izora qu'il trouva assise sur sa véranda, en compagnie d'une vieille voisine qui causait du temps d'avant en boucle. Il constata que les enfants n'avaient besoin de rien. Chacun occupait une chambre spacieuse ; Sharon celle de sa mère et Junior celle de sa tante défunte. Ils dormaient comme des pachas sur des grands lits datant des années trente et quarante qui avaient appartenu à leurs arrière-grands-parents. Il y avait tout le confort chez Izora qui, ancienne cantinière, disposait d'une immense cuisine garnies de placards renfermant des quantités de casseroles et cocottes, fait-tout et canaris de toutes tailles, sans compter plusieurs services en porcelaine, au moins trois ménagères bien rangées dans leurs tiroirs. Les affaires de Vivi avaient été entreposées au sec, dans le garage qu'occupait aussi une pièce de musée : la vieille Peugeot 403 de feu Justin-Auguste Bovoir. Il était question d'envoyer des colis de vêtements et de chaussures en Haïti. La mère de Betsy Brown appartenait à une association chrétienne caritative qui récoltait des dons dans toute la Caraïbe. Grand-mère avait dit que c'était une bonne chose. Autant que tout ça serve à d'autres au lieu que ça reste à moisir dans la chambre.

La nuit commençait à tomber sur le bourg de Lareine. Après les retrouvailles et les questions d'ordre pratique, Max prit Sharon à part et l'interrogea, la regardant droit dans les yeux.

« Bon, je ne dois pas tarder, Sharon. Tu sais que ta maman m'attend. Je vais te poser une seule question. Avant toute chose, il faut que tu saches que je n'aime pas beaucoup les mensonges. T'en fais pas, je sais que parfois on est forcé, ou bien que les mots se présentent tout seuls dans la bouche et c'est trop tard pour les ravaler. Ce que je te demande, c'est la stricte vérité... Je suis pas fâché avec toi. Il m'est arrivé de mentir aussi, plus d'une fois... Bon, je vais pas passer par quatre chemins... Est-ce que tu as vraiment vu les fantômes, Sharon ? Allez, ma fille. Dis la vérité, ça va te soulager. »

Cela faisait dix jours que Betsy Brown poussait Sharon à aller avouer qu'elle avait menti. Dix jours que Sharon essayait d'aller à la Ravine claire pour parler à sa mère, lui demander pardon. Mais les quelques fois où elle était descendue, elle l'avait trouvée tellement tranquille, presque douce, qu'il lui avait été impossible de briser cet enchantement.

« Elle avait juré qu'elle ne faisait plus de bébé ! Et ça recommence ! De toute façon, c'est fini, avec Junior, on retournera plus vivre à la Ravine claire...

— Alors, c'était pour l'embêter, lui faire peur ou quoi ?

— Non, c'était à cause de Grand-mère... Je sais plus mais c'est sorti tout seul...

— Bon, c'est bien, fit Max... C'est bien de dire la vérité à un moment donné. Tu te trouves pas plus légère ? »

Le lendemain matin, mardi 20 janvier, Tonton Max se réveilla auprès de sa Gina. Toute la nuit, ils avaient fait l'amour et chuchoté dans les draps. Elle l'avait tellement attendu. Est-ce que c'était ça, l'amour ?

Il était déjà neuf heures. À la radio, un journaliste disait qu'une grève générale avait été lancée à l'appel de toutes les organisations syndicales membres du LKP, Lyannaj Kont Pwofitasyon. Déjà, la veille, les stations-services avaient commencé à fermer et de monstrueuses files d'attente avaient pris d'assaut les rares pompes qui servaient encore un peu de carburant. Tous les secteurs d'activité étaient touchés ainsi que toutes les administrations. Bien sûr, les écoles étaient fermées. Et les enfants obligés de rester à la maison. À la demande de Gina, Tonton Max alla chercher Sharon et Junior pour le déjeuner et le gâteau d'investiture.

À Lareine, il rencontra une foule dense massée devant la mairie, prête à manifester sa colère contre le monde capitaliste et tous les profiteurs. Au mitan d'un grand branle-bas général, les gens disaient que le jour de la révolution était arrivé en Guadeloupe. Des drapeaux rouges flottaient au vent. « Déjà quinze mille personnes déterminées marchent dans les rues de Pointe-à-Pitre », annonçait un commentateur de la radio.

« Halte à la vie chère ! »

« Baissez les prix ! »

« À bas le système capitaliste ! »

« Asé kouyoné nou ! »

« Nou ja las sibi ! »

Inscrits sur les banderoles, les slogans révolutionnaires étaient scandés jusqu'à la transe. Et les manifestants chantaient et dansaient au rythme du tambour gwo ka comme s'ils s'entraînaient pour le prochain carnaval. Dans les bouches, les revendications étaient diverses et variées, concernant aussi bien les pêcheurs que les agriculteurs, les handicapés, les personnes âgées, les sportifs, les enseignants, les pompiers, les infirmières, les artisans... Oui, il y avait une pwofitasyon générale. On était français, oui ou non ! Alors, pourquoi devait-on payer plus cher que les Français de l'Hexagone ? Tout était plus cher ! Deux à trois fois plus : l'eau, l'essence, le gaz, l'électricité, le lait, le pain, le beurre, les yaourts, la viande de bœuf, les pommes-France, les poires, les chips, les sodas... Et aussi les voitures, les crédits et tous les services bancaires, les prêts, etc. Et on n'était pas mieux payé que les Français... Fallait faire avec... Et pourquoi voulait-on rendre exsangue et ruiner le peuple guadeloupéen ? Ici plus de chômage qu'en métropole ! Trop de djobeurs ! Parce qu'il fallait bien trouver le moyen de se débrouiller avec le si peu que l'État lâchait... Trop de jeunes abandonnés ! Trop de misère et de précarité ! Trop de drogue ! Comment, Seigneur, entrait toute cette drogue dans le pays ?

À la télévision, Barack Obama entamait son discours. Et Gina battait ses œufs. C'était sans doute la dernière fois qu'elle ferait un gâteau dans sa petite cuisine de la Ravine claire. Fantômes ou pas fantômes, elle avait décidé de déménager à Port-Louis, dans la grande maison neuve que Max avait construite de ses mains, avec tout son courage et son chagrin. À ce qu'il disait, là-bas, la cuisine était trois fois plus grande. Et il avait l'intention de bâtir, à proximité de la maison, une dépendance qui pourrait — si Gina le souhaitait — abriter son atelier de pâtisserie. Chaque enfant aurait sa chambre.

Depuis le début du mois, les clients avaient eu l'eau à la bouche en dégustant les parts de gâteau qu'elle laissait à la boutique. Y en avait jamais assez ! Au bout d'une petite semaine, les commandes s'étaient mises à affluer. Max l'encourageait, bien évidemment. Mais Gina répondait qu'elle n'était pas encore prête à se lancer de manière officielle. Il faudrait encore attendre. Peut-être après son accouchement. En tout cas, après le 21 janvier...

Pour l'heure, on n'était que le 20 janvier. Gina s'était mise aux fourneaux sans tarder. Toute la cuisine était sens dessus dessous. Le cacao doux fondait dans la casserole. Et Gina transpirait.

Vers les onze heures, Max ouvrit la porte de la chambre en déclarant que les fantômes étaient partis. Pas besoin d'attendre l'intercession de M. Mokambo ou Mlle Couillonnade !

Durant la nuit, elle avait tout expliqué à Max. Elle aimait tellement se sentir pleine. Un peu effarée, se contempler dans le miroir de l'armoire de sa chambre et se voir enfler jour après jour. Et regarder la peau de son ventre se distendre et se fissurer et ondoyer sous ses doigts. Qui avait le droit de lui interdire de se trouver dans cet état-là ?

À chaque fois qu'un docteur lui confirmait qu'elle portait un enfant, Gina éprouvait aussitôt l'étrange et merveilleuse sensation de flotter dans un temps parallèle. Elle n'en avait jamais parlé à quiconque, mais elle était alors intimement persuadée de détenir un pouvoir qui s'activait en elle dès la première semaine de gestation, se déployait jusqu'à la délivrance et s'amoindrissait au fur et à mesure, avant de disparaître d'un coup, le jour même où sortait la troisième dent de l'enfant. En effet, à tout moment et par la force de sa seule pensée, Gina était capable de s'extraire du réel. Sans avoir à se boucher les oreilles, elle n'entendait plus le brouhaha de la cour, les cris des enfants, le bégaiement de Junior, les plaintes de sa mère, les jurons des voisins... Pas besoin de détourner les yeux pour ne plus voir toutes les choses laides autour d'elle, la saleté de la case, les gestes couillons de la marmaille, le visage de sa mère déformé par la douleur, et puis les mauvaises notes sur les carnets de correspondance, les cicatrices sur les bras de Steeve... Non, dans cet état-là, rien ne parvenait à la contrarier, ni non plus à planter des grains de chagrin dans son cœur, même pas l'odeur de l'herbe qui s'échappait de la chambre des enfants. Rien n'était en mesure de la toucher que sa propre joie. Alors, elle se mouvait avec une lenteur phénoménale. Et alentour, le monde pouvait s'agiter et s'enflammer, elle ne ressentait pas l'urgence ni la précipitation. D'ailleurs, elle n'endossait aucune responsabilité. Elle attendait son bébé. Et c'était tout ce qu'elle avait à faire.

Neuf lunes pleines qui passaient toujours trop vite.

Attendre son bébé. Et flotter. Se repaître de séries américaines.

Attendre son bébé.

Attendre son bébé durant neuf mois d'une extraordinaire plénitude.

Lorsqu'elle sortait se pavaner dans les rues du bourg, poussant son gros ventre en avant comme un bouclier de bronze, Gina exultait. Elle était mieux qu'une reine. Ah ! ça, elle s'en fichait de ne pas être une Madame, de ne pas avoir même une moitié de mari marchant à ses côtés, un nègre prêté, volé. Non, Gina ne jalousait pas le moins du monde ces femmes enchaînées à un époux et qui s'enorgueillissaient de porter le nom d'un homme.

L'attente. Et bien sûr, le sentiment de plénitude et de perfection que lui procurait cette attente. L'attente. La merveilleuse attente. Dans cet état, Gina n'était pas partageuse, confia-t-elle à Max Barline. Elle se parlait à elle-même. Et c'était la première fois qu'elle livrait le fond de son âme, s'épanchait ainsi. Elle avait déjà choisi le prénom de leur fille. Angelina. Et Max l'avait écoutée sans l'interrompre une seule fois.

Durant la journée d'investiture de Barack Obama, Sharon se sentit étonnamment calme. Elle était même parée à prendre des coups. Junior lui avait dit qu'elle méritait au moins une paire de gifles pour ses mensonges. Mais rien de cela ne se réalisa. Gina savait que Sharon avait menti, mais elle l'avait pardonnée, même amnistiée, parce que le moment était exceptionnel et qu'elle fêtait son anniversaire le lendemain et qu'ils partaient bientôt, loin, pour une autre vie, à Port-Louis. Comme les autres, Sharon dégusta sa part de gâteau au chocolat en se pourléchant les lèvres. Oui, Gina s'était réellement surpassée pour le Président Obama.

De toute façon, il y avait mille autres sujets de conversation à aborder, les manifestants dans la rue, les leaders du LKP qui promettaient une grève épique et très longue... Une grève qui durerait jusqu'à la satisfaction de toutes les revendications... Bien sûr, la mandature de Barack Obama et la victoire de tous les nègres d'Amérique... Et puis, le prochain voyage de Sharon à la Dominique, aussi le déménagement à Port-Louis, dans la nouvelle maison, la naissance d'Angelina...

Épilogue

Le 21 janvier, jour de son anniversaire, Sharon se réveilla à Lareine, dans la maison de Grand-mère. À la radio, on annonçait que les manifestants se trouvaient face à quatre cents gendarmes au centre commercial et à l'aéroport. À deux heures de l'après-midi, Max parvint enfin à franchir le barrage érigé sur la route de Thibaut. Tous les enfants étaient là pour partager le gâteau d'anniversaire : un mont-blanc à la noix de coco.

Avant de souffler ses douze bougies, Sharon demanda pardon à sa maman. Pardon pour l'histoire des fantômes et la peur et tout le tintouin...

Il n'y eut pas de carnaval cette année-là en Guadeloupe.

La grève dura quarante-quatre jours, rassemblant parfois jusqu'à cent mille manifestants dans les rues.

Est-ce que la vie est moins chère aujourd'hui en Guadeloupe ?

Non.

Hormis le départ de Gina, rien n'a changé à la ravine claire. Drogue, misère et violence prolifèrent. Le château de Dolly est devenu le QG de Hunt Man. Le trésor du nègre Hilaire dort toujours dans sa jarre enfoui trente pieds sous terre. La savane a vu quelques morts ces derniers temps mais, aux dernières élections municipales, le maire a promis de commencer les travaux du stade sans retard. Les petits enfants grandissent. Les vieillards se meurent. Les gens vont et viennent. Seuls les esprits des nègres marrons d'autrefois habitent les lieux avec constance.

DU MÊME AUTEUR

Romans

LA GRANDE DRIVE DES ESPRITS, Le Serpent à plumes, 1993 (Grand Prix des lectrices de *Elle* en 1994, et prix Carbet de la Caraïbe)

L'ESPÉRANCE-MACADAM, Stock, 1995 (prix RFO, 1996)

L'EXIL SELON JULIA, Stock, 1996 (prix Terre de France 1996 et prix Rotary 1997)

L'ÂME PRÊTÉE AUX OISEAUX, Stock, 1998 (prix Amerigo Vespucci 1998)

CHAIR PIMENT, Mercure de France, 2002 (Folio n° 4033)

FLEUR DE BARBARIE, Mercure de France, 2005 (Folio n° 4569)

MORNE CÂPRESSE, Mercure de France, 2008 (Folio n° 5008)

CENT VIES ET DES POUSSIÈRES, Mercure de France, 2012 (Folio n° 5614)

Romans jeunesse

UN PAPILLON DANS LA CITÉ, Sépia, 1992, 2005

LE CYCLONE MARILYN (*illustré par Béatrice Favereau*), Hurtubise HMH, Montréal, 1998, et L'Élan Vert, Paris, 1998

CARAÏBE SUR SEINE, Dapper, 1999

CASE MENSONGE, Bayard, 2001

C'EST LA RÈGLE, Thierry Magnier, 2002

LES COLÈRES DU VOLCAN, Dapper, 2004

L'ODYSSÉE D'ALIZÉE, Thierry Magnier, 2010

Document

FEMMES DES ANTILLES. TRACES ET VOIX CENT CINQUANTE ANS APRÈS L'ABOLITION DE L'ESCLAVAGE (en collaboration avec Marie Abraham), Stock, 1998

Beaux livres

GUADELOUPE DÉCOUVERTE (avec Jean-Marie Lecerf. Préface de Simone Schwarz-Bart), Fabre Doumergue, 1997

GUADELOUPE D'ANTAN : LA GUADELOUPE AU DÉBUT DU SIÈCLE, HC, 2004

Récits

MES QUATRE FEMMES, Philippe Rey, 2007

FOLIE, ALLER SIMPLE. JOURNÉE ORDINAIRE D'UNE INFIRMIÈRE, Philippe Rey, 2010

COLLECTION FOLIO

Dernières parutions

5466. Jack Kerouac	*Sur les origines d'une génération* suivi de *Le dernier mot*
5467. Liu Xinwu	*La Cendrillon du canal* suivi de *Poisson à face humaine*
5468. Patrick Pécherot	*Petit éloge des coins de rue*
5469. George Sand	*Le château de Pictordu*
5470. Montaigne	*Sur l'oisiveté* et autres Essais en français moderne
5471. Martin Winckler	*Petit éloge des séries télé*
5472. Rétif de La Bretonne	*La Dernière aventure d'un homme de quarante-cinq ans*
5473. Pierre Assouline	*Vies de Job*
5474. Antoine Audouard	*Le rendez-vous de Saigon*
5475. Tonino Benacquista	*Homo erectus*
5476. René Fregni	*La fiancée des corbeaux*
5477. Shilpi Somaya Gowda	*La fille secrète*
5478. Roger Grenier	*Le palais des livres*
5479. Angela Huth	*Souviens-toi de Hallows Farm*
5480. Ian McEwan	*Solaire*
5481. Orhan Pamuk	*Le musée de l'Innocence*
5482. Georges Perec	*Les mots croisés*
5483. Patrick Pécherot	*L'homme à la carabine. Esquisse*
5484. Fernando Pessoa	*L'affaire Vargas*
5485. Philippe Sollers	*Trésor d'Amour*
5487. Charles Dickens	*Contes de Noël*
5488. Christian Bobin	*Un assassin blanc comme neige*
5490. Philippe Djian	*Vengeances*
5491. Erri De Luca	*En haut à gauche*
5492. Nicolas Fargues	*Tu verras*
5493. Romain Gary	*Gros-Câlin*
5494. Jens Christian Grøndahl	*Quatre jours en mars*

5495. Jack Kerouac — *Vanité de Duluoz. Une éducation aventureuse 1939-1946*
5496. Atiq Rahimi — *Maudit soit Dostoïevski*
5497. Jean Rouaud — *Comment gagner sa vie honnêtement. La vie poétique, I*
5498. Michel Schneider — *Bleu passé*
5499. Michel Schneider — *Comme une ombre*
5500. Jorge Semprun — *L'évanouissement*
5501. Virginia Woolf — *La Chambre de Jacob*
5502. Tardi-Pennac — *La débauche*
5503. Kris et Étienne Davodeau — *Un homme est mort*
5504. Pierre Dragon et Frederik Peeters — *R G Intégrale*
5505. Erri De Luca — *Le poids du papillon*
5506. René Belleto — *Hors la loi*
5507. Roberto Calasso — *K.*
5508. Yannik Haenel — *Le sens du calme*
5509. Wang Meng — *Contes et libelles*
5510. Julian Barnes — *Pulsations*
5511. François Bizot — *Le silence du bourreau*
5512. John Cheever — *L'homme de ses rêves*
5513. David Foenkinos — *Les souvenirs*
5514. Philippe Forest — *Toute la nuit*
5515. Éric Fottorino — *Le dos crawlé*
5516. Hubert Haddad — *Opium Poppy*
5517. Maurice Leblanc — *L'Aiguille creuse*
5518. Mathieu Lindon — *Ce qu'aimer veut dire*
5519. Mathieu Lindon — *En enfance*
5520. Akira Mizubayashi — *Une langue venue d'ailleurs*
5521. Jón Kalman Stefánsson — *La tristesse des anges*
5522. Homère — *Iliade*
5523. E.M. Cioran — *Pensées étranglées* précédé du *Mauvais démiurge*
5524. Dôgen — *Corps et esprit. La Voie du zen*
5525. Maître Eckhart — *L'amour est fort comme la mort* et autres textes

5526. Jacques Ellul — *«Je suis sincère avec moi-même»* et autres lieux communs
5527. Liu An — *Du monde des hommes. De l'art de vivre parmi ses semblables.*
5528. Sénèque — *De la providence* suivi de *Lettres à Lucilius (lettres 71 à 74)*
5529. Saâdi — *Le Jardin des Fruits. Histoires édifiantes et spirituelles*
5530. Tchouang-tseu — *Joie suprême* et autres textes
5531. Jacques de Voragine — *La Légende dorée. Vie et mort de saintes illustres*
5532. Grimm — *Hänsel et Gretel* et autres contes
5533. Gabriela Adameşteanu — *Une matinée perdue*
5534. Eleanor Catton — *La répétition*
5535. Laurence Cossé — *Les amandes amères*
5536. Mircea Eliade — *À l'ombre d'une fleur de lys...*
5537. Gérard Guégan — *Fontenoy ne reviendra plus*
5538. Alexis Jenni — *L'art français de la guerre*
5539. Michèle Lesbre — *Un lac immense et blanc*
5540. Manset — *Visage d'un dieu inca*
5541. Catherine Millot — O Solitude
5542. Amos Oz — *La troisième sphère*
5543. Jean Rolin — *Le ravissement de Britney Spears*
5544. Philip Roth — *Le rabaissement*
5545. Honoré de Balzac — *Illusions perdues*
5546. Guillaume Apollinaire — *Alcools*
5547. Tahar Ben Jelloun — *Jean Genet, menteur sublime*
5548. Roberto Bolaño — *Le Troisième Reich*
5549. Michaël Ferrier — *Fukushima. Récit d'un désastre*
5550. Gilles Leroy — *Dormir avec ceux qu'on aime*
5551. Annabel Lyon — *Le juste milieu*
5552. Carole Martinez — *Du domaine des Murmures*
5553. Éric Reinhardt — *Existence*
5554. Éric Reinhardt — *Le système Victoria*
5555. Boualem Sansal — *Rue Darwin*
5556. Anne Serre — *Les débutants*
5557. Romain Gary — *Les têtes de Stéphanie*